Ma plante est malade

Ma plante est malade

Soins et remèdes pour contrer
les mille et une maladies et bestioles
qui attaquent les plantes d'intérieur

Charles M. EVANS
Roberta Lee PLINER

traduit par Sylvie DUPONT

éditions l'étincelle

Édition originale américaine: Prescription for ailing house plants, New York, Random House 1974.

Copyright © 1974, Charles M. Evans et Robert Lee Pliner
Copyright © 1976, pour la version française, Éditions l'Étincelle Inc.

Diffusion:

Québec   - Les Messageries Prologue Inc.
                1651, rue St-Denis,
                Montréal.
                Tél.: (514) 849-8129

France   - Montparnasse-Édition
                1 Quai de Conti
                Paris 75006
                Tél.: 033.40.96

Suisse   - Foma-Cédilivres S.A.
                C.P. 4
                Le Mont-sur-Lausanne

02614

B

Dépôt légal 3e trimestre 1976, Bibliothèque Nationale du Québec.

ISBN: 0-88515-055-4

1 2 3 4 5 6 7 8 9 76 77 78 79 80

Pour recevoir notre catalogue sans engagement de votre part, il suffit de nous envoyer une carte avec votre nom et adresse.

Éditions l'Étincelle, 1651 rue St-Denis, Montréal, Québec. Tél.: 843-4344

Cette traduction est publiée en vertu d'un accord entre les Éditions l'Étincelle Inc. et Random House Inc.

La plupart des plantes d'intérieur souffrent à un moment donné de maladies ou de problèmes occasionnés par leur environnement ou par des insectes, d'avaries physiques ou tout simplement de négligence. Rares sont les jardiniers amateurs qui n'ont pas perdu espoir devant des plantes chères et très belles qui inexplicablement, devenaient maladives et peu attrayantes. Inexplicablement, car elles continuaient à recevoir les mêmes soins de routine qui les maintenaient en excellente condition depuis des mois, voire des années.

Certaines plantes sont sans contredit plus capricieuses que d'autres mais elles aussi peuvent être cultivées avec succès, pour peu qu'on leur donne des soins attentifs et appropriés à leurs exigences particulières. Toutefois il est également vrai que les plantes robustes et résistantes qui semblent pousser n'importe où sont, elles aussi, sujettes à divers problèmes. Par ailleurs, un jardinier observateur et bien informé peut identifier et résoudre avec facilité presque tous ces problèmes.

L'apparence d'une plante et ses habitudes de croissance reflètent son état de santé. Aux premières phases d'une maladie, les signes de mauvaise santé sont relativement minimes: de minuscules membranes sur les axes de

Les symptômes

la feuille, une ou deux feuilles qui tombent, un feuillage terne. Si on n'y remédie pas, la plupart des maladies provoqueront éventuellement des symptômes plus dramatiques comme la défoliation grave ou l'atrophie totale. Mais quel que soit le symptôme dont il s'agit, ce symptôme n'est qu'un indice de la maladie et non la maladie elle-même.

Le tableau des symptômes et des causes énumère les premiers symptômes de différentes maladies des plantes. Ces symptômes sont les plus fréquents et les plus facilement repérables et, dans la plupart des cas, ils caractérisent la première phase de la maladie. Par conséquent, si une plante semble perdre ses feuilles plus rapidement que d'habitude ou si les boutons de ses fleurs n'arrivent pas à éclore, servez-vous du tableau pour identifier la cause possible de ses symptômes.

Certains symptômes, comme le jaunissement des feuilles, peuvent être attribués à plusieurs maladies et il vous faudra tenir compte du contexte pour en connaître la cause exacte. Par exemple, le jaunissement de certaines feuilles - surtout si ce sont des feuilles plus vieilles et/ou les feuilles inférieures - peut n'indiquer rien de plus significatif que le processus naturel du vieillessement. Quoique ce processus varie d'une plante à l'autre, toutes les plantes perdent éventuellement leurs feuilles les plus âgées qui jaunissent généralement avant de tomber. Mais si le jaune apparaît surtout le long des nervures de la feuille et que la nouvelle pousse semble faible ou entravée dans sa croissance, une fertilisation inadéquate peut en être la cause. Ou encore, si la feuille en entier est tachetée de jaune et couverte de fines membranes, il s'agit sans aucun doute d'une invasion de mites.

Des symptômes spectaculaires, comme un grave dépérissement ou une défoliation complète sont classés dans le tableau comme les premiers symptômes de différents problèmes de culture ou d'environnement. Mais il peut également s'agir des effets secondaires d'une infestation de divers types de parasites. Dans un cas analogue à celui-ci, si aucune des causes énumérées pour un symptôme particulier ne semble s'appliquer, réexaminez attentivement la plante pour tenter d'y déceler d'autres symptômes. Dans le cas d'une invasion d'insectes, le symptôme principal sera probablement la présence de l'insecte lui-même alors qu'une maladie se manifesterait au début comme une des nombreuses sortes de taches de la feuille.

Lorsque vous pensez avoir identifié la cause du mauvais état de votre plante, faites le recoupement avec le second tableau qui traite des problèmes particuliers à chaque espèce. Votre diagnostic sera renforcé si vous découvrez que la plante en question est effectivement sujette à ce problème.

Les causes

Dans les quatre chapitres suivants, vous trouverez plus de détails sur les divers problèmes des plantes, sur les mesures préventives, sur les traitements chimiques ou non chimiques et sur les noms des plantes les plus fréquemment atteintes par ces problèmes particuliers. Le chapitre 2 traite des difficultés de culture et d'environnement, le chapitre 3 des carences alimentaires, le chapitre 4 des différents types d'infestation et le chapitre 5 des problèmes occasionnés par les maladies des plantes.

Dans les chapitres 2 à 5, partout où il est précisé qu'une maladie peut en provoquer une autre, par exemple une humidité excessive causant des maladies fongueuses, lisez aussi ce qui concerne la maladie secondaire. Le traitement de la première maladie peut prévenir le développement de la seconde. Si vous devez traiter une plante pour deux problèmes différents, l'un des traitements suffira peut-être à enrayer les deux problèmes.

Les mesures préventives et les contrôles non-chimiques, suggestions de formules, méthodes d'application et précautions à prendre, sont décrites au chapitre 6. Pour la plupart des problèmes, plusieurs traitements différents sont proposés. Quel que soit celui que vous choisissez, assurez-vous qu'il correspond spécifiquement au problème. Une thérapie inadéquate n'est pas seulement un gaspillage: si le traitement est énergique, la plante risque de ne pas survivre à une agression supplémentaire.

Les symptômes	Les causes probables
Feuilles	
Feuilles enroulées, chute de feuilles	Thrips, arrosages excessifs, température trop basse, courants d'air
Couche noirâtre sur les feuilles	Mildiou et fumagine (maladies)
Feuilles tachetées, sèches, languissantes	Maladie de l'anthracnose
Feuilles tachetées, moites et ampoulées	Maladie de la rouille
Feuilles tachetées, cassantes et brunes	Arrosages insuffisants, fertilisation excessive, pollution de l'air
Feuilles tachetées ou couvertes de pustules, jaunies	Mites, kermès, maladie de la rouille, pollution de l'air, fertilisation inadéquate
Couche blanche et farineuse sur les feuilles	Mildiou et fumagine (maladies), cochenilles farineuses
Bouts et/ou bords des feuilles qui brunissent, puis noircissent et meurent	Maladie de l'anthracnose, arrosages excessifs, lumière trop faible, température trop élevée, pollution de l'air, manque d'humidité, accumulation de sels minéraux
Jaunissement le long des nervures des feuilles	Fertilisation insuffisante ou inadéquate, sol trop alcalin

Parties de la feuille brun-noir et flasques	Arrosages excessifs, trop d'humidité
Chute des vieilles feuilles	Arrosages insuffisants, lumière trop faible, fertilisation insuffisante, sol compact, besoin d'un rempotage, température trop élevée
Chute de toutes les feuilles	Arrosages insuffisants, pollution de l'air, lumière trop faible
Feuilles à l'apparence grisâtre	Lumière trop faible
Substance collante sur les feuilles	Pucerons, cochenilles farineuses, kermès, mouches blanches
Trous ou coupures dans les feuilles	Limaces, avaries physiques, chenilles, blattes, podures
Écailles ou protubérances liégeuses sur l'envers des feuilles	Arrosages excessifs
Feuilles pâles, décolorées	Mites, lumière trop faible ou trop forte, fertilisation insuffisante, pollution de l'air, arrosages insuffisants
Trainées sinueuses dans les feuilles	Mineuses de la feuille
Feuilles épaisses et rabougries	Accumulation de sels minéraux
Cicatrices sur les feuilles	Thrips
Extrémités des feuilles enroulées vers l'intérieur	Rouleuses de la feuille
Feuilles machonnées	Animaux, chenilles, blattes, perce-oreilles, mille-pattes
Feuilles molles, pourries	Arrosages excessifs, trop d'humidité

Fleurs

Chute des boutons de fleurs	Manque d'humidité, arrosages insuffisants, lumière trop faible, mites, thrips, mouches blanches, parasites des bulbes
Fleurs éphémères	Arrosages insuffisants, température trop élevée
Fleurs aux couleurs ternes	Lumière trop faible
Aucune fleur (sur les plantes à fleurs)	Lumière trop faible, journées trop courtes ou trop longues, parasites des bulbes, thrips, fertilisation insuffisante ou excessive
Fleurs déformées, décolorées	Thrips, parasites des bulbes

Racine, couronnes, tiges et branches

Tissus flasques et pourris	Pourriture grise, arrosages excessifs, trop d'humidité, température trop élevée ou trop basse
Moisissure	Mildiou et fumagine
Gales sur les racines	Nématodes
Dépérissement	Arrosages excessifs, mauvais drainage, arrosages insuffisants, lumière trop forte, température trop élevée, fertilisation excessive, sol compact, pollution de l'air, manque d'humidité, besoin d'un rempotage
Tiges faibles et flasques	Fertilisation insuffisante, arrosages insuffisants
Manque de vigueur généralisé	Arrosages insuffisants, lumière trop faible, fertilisation insuffisante, sol compact, pollution de l'air

Croissance lente	Lumière trop faible, température trop basse ou trop élevée, sol compact, problèmes de pH, durée des journées inadéquate, besoin d'un rempotage
Détérioration des racines	Nématodes, pourriture des racines, arrosages excessifs, fertilisation excessive, accumulation de sels minéraux problèmes de pH, vers de terre, mouches à fongus, centipèdes, mauvais drainage, mauvais rempotage, arrosages insuffisants

Jeunes plants et nouvelles pousses

Mort des jeunes plants	Maladie du pied-noir, lumière trop faible
Nouvelles pousses mâchonnées	Limaces, blattes
Nouvelles pousses chétives, déformées ou faibles	Lumière trop faible, fertilisation insuffisante, manque d'humidité, besoin d'un rempotage
Jeunes plants mâchonnés ou coupés au ras du sol	Chenilles et vers gris, fourmis

Sol et pots

Sol inondé	Arrosages excessifs, mauvais drainage
Sol sec et dur	Sol compact, arrosages insuffisants
Croûte blanche sur le rebord des pots ou sur le sol	Accumulation de sels minéraux

Présence d'insectes

Petites rondelles brunes et dures	Kermès
Insectes volants bruns ou noirs	Mouches à fongus
Duvet blanc cotonneux	Cochenilles farineuses (ou floconneuses)
Insectes qui sautent dans le sol	Podures
Petites membranes semblables à des toiles d'araignées	Mites
Insectes volants blancs	Mouches blanches
Trace d'excréments	Chenilles et vers, mineuses de la feuille, thrips
Trainées fines et luisantes sur les feuilles lisses, sur les pots et les soucoupes	Limaces
Particules de couleur chair semblables à des graines de sésame sur l'envers des feuilles	Mouches blanches

Les problèmes des plantes

AGLAOMÉNA	Cochenilles farineuses, pourriture grise, température trop basse, arrosages excessifs
ALOÈS (CORNE DE BÉLIER, BEC DE PERROQUET, GORGE DE PERDRIX)	Pourriture des racines
AMARYLLIS	Problèmes de pH, arrosages excessifs, parasites des bulbes
ANTHURIUM	Mites, manque d'humidité
APHÉLANDRA	Arrosages insuffisants
ARALIA	Pucerons, mites, kermès, thrips
ARDISIA	Mites, kermès
ASPERGES ORNEMENTALES	Problèmes de pH
ASPIDISTRA	Mites, kermès
AUCUBA	Mites
AVOCADO	Kermès, thrips
AZALÉES	Mineuses de la feuille, thrips, mouches blanches, problèmes de pH, arrosages insuffisants
BÉGONIAS	Rouleuses de la feuille, thrips, pourriture des racines
BELEPERONE	Problèmes de pH
BROMÉLIES (ANANAS DES BOIS)	Kermès, températures trop basses
BROWALLIA	Mineuses de la feuille, mouches blanches
BOUGAINVILLÉE	Problèmes de pH
CACTUS	Cochenilles farineuses, kermès, cloportes, pourriture grise, maladie de la rouille, pourriture des racines, arrosages excessifs, limaces et colimaçons
CAFÉIER	Mouches blanches
CALADIUM	Manque d'humidité, température trop basse

Ma plante est malade

CAMELIAS	Kermès, problèmes de pH
CERISIER DE JÉRUSALEM	Kermès, thrips, mouches blanches
CHRYSANTHÈMES	Pucerons, thrips, mouches blanches
CISSUS (VIGNE NAINE)	Cochenilles farineuses, mites, arrosages insuffisants
CITRUS (ORANGER MINIATURE)	Pucerons, cochenilles farineuses, mites, némathodes, kermès, thrips, mouches blanches, maladie de l'anthracnose, problèmes de pH
COLEUS	Cochenilles farineuses, mouches blanches
COLUMNÉA	Arrosages excessifs, pourriture des racines, mineuses de la feuille, cochenilles farineuses, mites, nématodes, pourriture grise
CORDYLINE (DRAGONNIER)	Mites, arrosages excessifs
CRASSULA	Nématodes
CROTON	Mites
CYCLAMEN	Pucerons, mites, thrips
DIEFFENBACHIA (CANNE DE MODÈRE)	Cochenilles farineuses, mites, pourriture grise, température trop basse
DIZYGOTHÉCA (FAUX-ARALIA)	Cochenilles farineuses, mites, arrosages excessifs
DRACAENA (DRAGONNIER)	Cochenilles farineuses, mites, maladie de la rouille, arrosages excessifs
EPISCIES	Arrosages excessifs, pourriture des racines, maladie de la rouille, mineuses de la feuille, cochenilles farineuses, mites, nématodes, pourriture grise
EUONYMUS (FUSAIN)	Kermès
FATSIA	Pucerons, mites
FICUS (UNE DES VARIÉTÉS DE FICUS EST CONNUE SOUS LE NOM DE CAOUTCHOUC)	Cochenilles farineuses, mites, kermès, thrips, maladie de l'anthracnose, mildiou

FINES HERBES	Cochenilles farineuses, mites, mouches blanches
FITTONIA	Arrosages excessifs, pourriture des racines, mineuses de la feuille, cochenilles farineuses, mites, nématodes, pourriture grise
"FLAME VIOLET"	Manque d'humidité
FOUGÈRES	Pucerons, cochenilles farineuses, kermès, thrips, mouches blanches, arrosages insuffisants, manque d'humidité
FUSCHIA	Pucerons, thrips, mouches blanches
GARDÉNIA	Pucerons, cochenilles farineuses, mites, nématodes, kermès, arrosages insuffisants, problèmes de pH
GÉRANIUM	Rouleuses de la feuille, mouches blanches, pourriture grise, maladie de la rouille, arrosages excessifs
GESNÉRIA	Pourriture de la racine, arrosages excessifs, mineuses de la feuille, cochenilles farineuses, mites, nématodes, pourriture grise
GYNURA	Pucerons
HIBISCUS (ROSE DE CHINE, KETMIE)	Pucerons, cochenilles farineuses, mites, kermès, mouches blanches
HOUX	Problèmes de pH
HOYA (PLANTE À FLEURS DE PORCELAINE)	Cochenilles farineuses, nématodes
IRÉSINE	Manque d'humidité
JASMIN	Kermès
KALANCHOE (FEUILLE MIRACULEUSE)	Anthracnose
LANTANA	Mouches blanches
LIERRES	Pucerons, mites, kermès, arrosages insuffisants, manque d'humidité, température trop élevée
LYGUSTRUM	Kermès, maladie de la rouille

Lys	Problèmes de pH
Nèfle du japon	Problèmes de pH
Maranta	Mites, humidité, température trop basse
Myrthe	Kermès, thrips
Oléandre (laurier-rose)	Rouleuses de feuilles, kermès, maladie de l'anthracnose
Palmier (cocotier nain)	Cochenilles farineuses, mites, kermès, maladie de l'anthracnose, pourriture des racines, problèmes de pH
Peperomies	Arrosages excessifs
Philodendron	Mites, pourriture grise, température trop basse, mouches blanches
Piléa (plante aluminium)	Arrosages excessifs
Pittosporum	Cochenilles farineuses, kermès, chaleur
Plantes grasses	Pourriture des racines, cochenilles farineuses, pourriture grise, maladie de la rouille, arrosages excessifs, limaces et colimaçons, cloportes
Poinsettias	Mites
Podocarpus	Cochenilles farineuses, mites, nématodes, kermès, problèmes de pH, température trop élevée
Grenadier	Kermès, mouches blanches
Roses	Mites, rouleuses de la feuille, thrips, maladie de la rouille, trop d'humidité
Schefflera (arbre ombrelle)	Cochenilles farineuses, mites, kermès, arrosages excessifs
Sellaginella	Manque d'humidité
Streptocarpus	Manque d'humidité
Syngonium	Mites
Tomates	Mouches blanches

VIOLETTES AFRICAINES (SAINT-PAULIA)	Arrosages excessifs, pourriture des racines, maladie de la rouille, mineuses de la feuille, cochenilles farineuses, mites, nématodes, pourriture grise
ZAMIER	Kermès

Chapitre 2

Problèmes de culture et d'environnement

Soustraites à leur habitat naturel et cultivées à l'intérieur, les plantes vivent souvent dans des conditions défavorables à leur croissance: le manque de lumière, une mauvaise ventilation, la température trop élevée, ou trop froide, la sécheresse de l'air et par conséquent le manque d'humidité, un drainage inadéquat et l'insuffisance de circulation d'air autour de leurs racines. Par la suite, leur croissance est faible ou retardée et les maladies et infestations se développent et se propagent rapidement.

Les plantes qui résisteront le mieux sont celles dont l'habitat naturel s'apparente à l'ambiance d'un intérieur moyen ou encore celles qui peuvent s'y adapter relativement facilement. Ces plantes constituent la base de toute collection; il en existe de nombreuses variétés. Cependant le jardinier amateur peut aussi s'adonner à la culture de plusieurs autres espèces plus délicates en adaptant son intérieur à leurs exigences, c'est-à-dire en l'approchant le plus possible des conditions de l'environnement naturel de ces plantes.

Certains arbrisseaux à fleurs comme les azalées et les jasmins, d'ailleurs généralement considérés comme des plantes extérieures, exigent à l'intérieur des conditions particulièrement favorables: beaucoup d'humidité, une température fraîche qui diminue de 5 à 10°C la nuit et surtout beaucoup de lumière. Certaines plantes saisonnières comme le muguet, la poinsettia et les bulbes printanniers sont forcées en serre pour produire une floraison intérieure de quelques mois, à peu près dans n'importe quelles conditions, mais dès que leur floraison cesse, il faut les jeter. Elles ne sont pas malades, elles ont tout simplement atteint la fin de leur cycle de vie. Les plantes saisonnières resteront fleuries plus longtemps si on peut leur procurer la fraîcheur et l'humidité dont elles profitent habituellement à l'extérieur. Les problèmes de culture et d'environnement dont il sera question dans ce chapitre ne s'appliquent parfois qu'à certaines variétés de plantes. Dans d'autres cas cependant, ils touchent toutes les variétés.

Lorsque la composition du sol est trop acide ou trop alcaline, les plantes ne peuvent absorber les éléments nutritifs nécessaires à leur saine croissance (voir pages 47 à 52).

L'acidité et l'alcalinité sont mesurées en pH dont les coefficients varient de 0 à 14, le coefficient 7,0 indiquant la neutralité. Tout ce qui a un pH supérieur à 7,0 est alcalin; tout ce qui a un pH inférieur à 7,0 est acide. La plupart des plantes d'intérieur préfèrent un sol légèrement acide, c'est-à-dire un pH de 6,0 à 7,0. Si le sol est trop alcalin, la plante peut présenter des symptômes comme la décoloration du feuillage caractérisant les déficiences en fer ou en magnésium (voir page 51) ou encore des

L'acidité et l'alcalinité du sol

anomalies dans le développement de ses racines, anomalies qui peuvent retarder la croissance de toute la plante. Divers autres facteurs qui assurent la croissance normale des plantes peuvent également être affectés par un sol trop alcalin.

Les remèdes. Sondez vous-même le pH de votre sol à l'aide d'un petit équipement-maison que vous vous procurerez dans les centres de jardinage ou les boutiques de plantes. Si le sol est trop acide (le pH sera bas), ajoutez de la pierre à chaux brouée. Si le sol est trop alcalin (un pH élevé), ajoutez du soufre en poudre. Suivez soigneusement les indications de l'emballage pour que le test soit précis et qu'il vous serve à déterminer la quantité de suppléments nécessaires à votre sol. Les fertilisants acides peuvent aussi diminuer le pH du sol. La tourbe et la mousse de phaigne qu'on ajoute au sol sont des substances acides mais elles agissent comme tampons en absorbant tout autant les surplus d'acidité que d'alcalinité.

Les plantes affectées. Les plantes qui préfèrent un sol plus acide (pH de 5.0 à 6.5) sont: les amarylis, les lys, les plantes crevettes, les azalées, les bougainvillées, les camélias, les centaurées, les gardénias, les podocarpus, les vignes, les houx, les nèfles du Japon, les agrumes, les palmiers et les asperges ornementales.

Les animaux et les plantes

À l'intérieur, la coexistence des animaux domestiques et des plantes est loin d'être toujours pacifique. Les pots en miettes, les racines dénudées ou encore la disparition de la totalité d'un feuillage pendant la nuit peuvent s'expliquer par l'activité d'animaux domestiques trop aventuriers. Si votre chat n'a pas le droit de sortir de la maison, il mâchonnera vos plantes d'intérieur et en particulier celles qui ressemblent à du gazon, puisque en vérité c'est ce qu'il cherche, ou celles ayant des baies et des fleurs.

Les chats dorment parfois sur le dessus des grands pots comprimant ainsi le sol (voir page 24) ou encore se servent de ces grands pots en guise de litière, ce qui n'est certes pas pour aider les racines fragiles et les branches dont la croissance est lente.

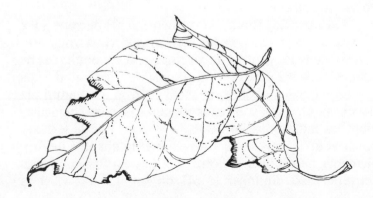

Certains chats entreprenants vont jusqu'à faire tomber les pots du rebord des fenêtres quand ils manquent de place pour s'étendre eux-mêmes au soleil. Pour compliquer encore les choses, il n'y a pas deux chats qui s'intéressent aux mêmes plantes et même les plantes qu'ils ont toujours ignorées peuvent un jour attirer leur attention.

En général, les chiens sortent plus souvent dehors et il est donc rare qu'ils mangent les plantes d'intérieur ou qu'ils aient envie de dormir sur le rebord des fenêtres. Toutefois les jeunes chiots curieux représentent un danger potentiel pour toute plante à leur portée. Beaucoup de chiots essayent de mâchonner les pots et les soucoupes de plastique ou de caoutchouc et certains peuvent pousser l'expérience jusqu'aux feuilles et aux branches, histoire de goûter à tout. Quand aux chiens adultes, leurs vigoureux branlements de queue mettent en péril toutes les plantes à leur hauteur.

Les oiseaux, particulièrement les perruches et les perroquets, menacent aussi vos plantes d'intérieur dès qu'ils se promènent en liberté hors de leur cage. Ils tiraillent et parfois arrachent les branches rapidement et indistinctement; ils grignotent les feuilles, les fleurs et les fruits.

Les remèdes. Laissez à vos chats de l'espace sur le rebord de vos fenêtres et évitez la culture des plantes dont ils sont particulièrement friands. Si possible, procurez à votre chat une plante qui ressemble à de l'herbe et dont il pourra faire ce qu'il veut. Semer tous les mois quelques graines d'herbe ou d'herbe à chat dans un pot leur offrira une diversion efficace. Parsemer le sol des plantes de tessons d'argile enlevera à votre chat l'envie de s'y promener ou de s'y étendre. Évitez le fin gravier si vous ne voulez pas qu'il confonde le pot avec sa litière.

Gardez vos plantes hors d'atteinte des chiots jusqu'à ce qu'ils aient dépassé la phase du mâchonnement. Il n'y a pas grand-chose à faire contre les branlements de queue enthousiastes sauf de hausser les plantes. Si les rebords de vos fenêtres sont bas, on peut surélever les pots avec des briques ou des blocs de bois ou encore, les suspendre.

Ne laissez vos oiseaux sortir de leurs cages que dans les pièces ou il n'y a pas de plantes ou empêchez-les de s'en approcher. Gardez hors d'atteinte de vos animaux domestiques les poinsettias, les lauriers-roses (oléandres) et les dieffenbachias et entreposez leurs bulbes loin d'eux; ces plantes et certains de leurs bulbes contiennent des poisons.

Les sols trop compacts

Si l'eau reste à la surface du sol quand vous arrosez une plante, c'est sans aucun doute que le sol est trop compact. Ces plantes souffriront d'une détérioration générale, se flétriront, auront une croissance lente et perdront trop rapidement leurs vieilles feuilles.

Le sol trop compact empêche l'eau de s'infiltrer, les espaces d'air entre les particules du sol étant comprimés. L'air ne peut circuler autour des racines, le sol ne retient pas un niveau d'humidité suffisant et le processus d'assèchement est trop rapide.

Les remèdes. La compression survient en général dans des sols argileux ou de texture fine contenant peu ou pas de matières organiques. Rempotez la plante (voir pages 37 à 40) et mêlez du sphaigne, de l'humus, de la perlite ou du sable au sol.

Un sol imbibé d'eau est l'indice le plus révélateur du mauvais drainage. Les racines et le feuillage de la plupart des plantes qui poussent dans un sol constamment mouillé se fanent et pourrissent exactement comme les plantes arrosées trop fréquemment (voir pages 43 à 46). Si vous arrosez relativement peu souvent une de vos plantes et que son sol demeure malgré tout inondé, retirez la plante de son pot et examinez le drainage.

Les trous de drainage des pots d'argile devraient être recouverts d'un ou deux gros tessons d'argile recourbés pour éviter que le sol absorbe l'excès d'eau et obstrue les trous. Les pots de plastique ont plusieurs petits trous ou petites rainures pour le drainage, mais contrairement aux pots d'argile ils ne sont pas poreux et l'excès d'eau qui n'en

Le drainage

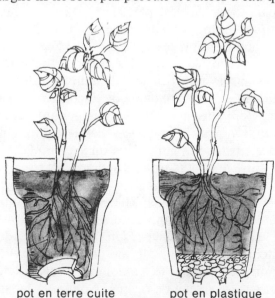

pot en terre cuite   pot en plastique

ressort pas immédiatement après l'arrosage ne peut s'évaporer que par le dessus des pots. Leurs fonds doivent donc être recouverts d'une couche de 1 ou 2 cm. de petits tessons d'argile ou de cailloux pour éviter que le sol se détrempe et retienne l'eau jusqu'à ce qu'elle s'égoutte ou s'évapore. Placez un filet de nylon ou un vieux bas sur cette couche pour que les particules du sol ne puisse s'y glisser et obstruer la zone de drainage.

Même si cette couche est parfaite, la plante peut souffrir d'un mauvais drainage si la texture du sol est inadéquate. Les sols friables ont tendance à se comprimer (voir page 24); les sols lourds, tourbeux s'imprègnent d'humidité et restent mouillés plus longtemps qu'il ne le faudrait pour beaucoup de plantes et les sols sablonneux se drainent très vite, ce qui est excellent pour les plantes grasses mais ne convient pas à d'autres plantes.

Lorsque vous faites l'acquisition d'une nouvelle plante qui n'est pas munie d'une couche de drainage appropriée au type de pot dont il s'agit, réparez cette erreur aussitôt que possible. Si le réseau de racines est déjà trop développé pour laisser place à une couche de drainage, rempotez la plante dans un pot de la grandeur suivante (voir page 38). Si les plantes souffrent depuis trop longtemps d'un mauvais drainage, les racines seront peut-être déjà pourries et le feuillage disparu. Cependant si une partie du réseau de racines est restée blanche et ferme, retirez les parties pourries à l'aide d'un couteau aiguisé et taillez la partie correspondante de la pousse qui est morte ou fanée. Rempotez la plante dans un pot juste assez grand pour que le réseau de racines y tienne confortablement. Enfermez ensuite la plante dans un sac en plastique perforé de plusieurs petits trous d'aération d'1/2 centimètre, ceci pour plusieurs semaines ou jusqu'à ce qu'une nouvelle pousse apparaisse. Mettez la plante à l'abri de la lumière forte pour quelques jours.

Si le mauvais drainage résulte d'une texture de sol inadéquate, retirez la plante de son pot et secouez-la doucement pour faire tomber le maximum de sol sans déranger outre mesure le réseau de racines. Continuez la taille et le rempotage selon les directives précédentes. Si la plante exige un sol plutôt sec, utilisez un mélange de sol sablonneux ou encore, ajoutez du sable ou de la perlite au sol. Si la plante requiert un sol humide, ajoutez de la tourbe ou de l'humus mais prenez soin d'ajouter aussi, dans les mêmes quantités, du sable ou de la perlite pour assurer un bon drainage.

Plantes affectées, voir Arrosage (pages 43 à 46)

Le brunissement du bout de la feuille ou le jaunissement de ses bords, la lenteur ou l'arrêt de la croissance, la chute des bourgeons, le dépérissement et le flétrissement sont des caractéristiques d'un manque d'humidité. Il est

L'humidité

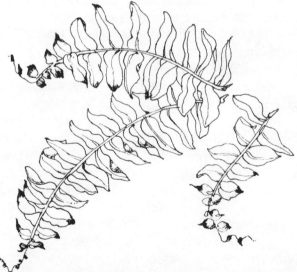

rare que l'excès d'humidité devienne un problème sauf dans les terrariums ou dans les régions côtières pendant l'été. Si tel est le cas, les plantes dépériront et pourriront. Elles présenteront les symptômes d'un excès d'eau (voir page 43): brunissement des feuilles et des bourgeons et flétrissement. Dans cet état, les plantes seront particulièrement vulnérables aux bactéries, aux invasions fongueuses et aux problèmes causés par la pollution (voir pages 35-37, 83 à 91).

Durant les saisons chaudes et pluvieuses, le degré d'humidité intérieure peut atteindre celui de l'extérieur mais en temps normal l'humidité intérieure est beaucoup plus basse que celle à laquelle les plantes sont habituées à l'extérieur. Par temps froid, lorsque la température intérieure est élevée, l'humidité descend souvent bien au-dessous de la limite tolérable pour la bonne santé des plantes. Heureusement, plusieurs plantes d'intérieur arrivent à s'adapter à ce manque d'humidité.

Les remèdes. L'utilisation d'un humidificateur est la méthode la plus efficace pour rétablir l'humidité intérieure. L'hygromètre, petit instrument calibré qui permet de mesurer l'humidité de l'atmosphère comme le thermomètre mesure la température, peut être utile pour connaître le degré d'humidité et ajuster l'humidificateur en conséquence. Si vous ne possédez que quelques plantes, disposez-les sur un plateau recouvert d'une couche de 5 à 7 cm. de gravier ou de cailloux baignant dans l'eau; vous augmenterez ainsi l'humidité dans l'entourage immédiat de vos plantes. Les températures basses ont tendance à augmenter l'humidité de l'ambiance. Les terrariums ou autres espaces fermés en verre sont des environnements idéaux pour les plantes qui ont besoin de plus d'humidité. Les salles de bain sont en général plus humides que le reste de la maison; vous pouvez donc y faire pousser des fougères ou d'autres plantes qui aiment l'humidité.

Pour éviter l'excès d'humidité, aérez bien les pièces. Ouvrez les portes et les fenêtres, favorisez la circulation de l'air en évitant toutefois que les plantes soient exposées directement aux courants d'air. Réduisez les arrosages.

Les plantes affectées. Humidité trop basse: les fougères, les plantes carnivores, le caladium, l'anthurium, la "flame violet", l'oxalis, le figuier grimpant, les streptocarpus, certains philodendrons, les selaginella, les lierres, les oliviers, les marantas, l'iresine et la plupart des plantes à fleurs, sauf les cactus.

Humidité trop élevée: ce n'est pas nécessairement un problème sauf si cela favorise le développement des maladies de la rouille, de la fumagine et du mildiou ou le flétrissement et le pourrissement consécutifs à un excès d'eau (voir pages 43 à 46, 87, 88). Toutes les plantes sujettes à ces problèmes peuvent être affectées par une exposition prolongée à l'humidité excessive. Les roses, les plantes de terrarium, les cactus et autres plantes grasses sont les plus vulnérables.

L'insuffisance de lumière est la cause la plus répandue de la croissance lente des plantes, des feuilles tordues, décolorées ou ternes, d'une défoliation sévère, de l'absence de fleurs et de fruits et de la mort.

La lumière

Chez les jeunes plants, le manque de lumière provoque la croissance en hauteur, un branchage insuffisant et un feuillage pauvre ou sous-développé. Les plantes plus vieilles perdent leurs feuilles (en général ce sont celles du bas qui tombent d'abord), cessent de pousser, dépérissent et finalement meurent. Les plantes au feuillage bigarré redeviennent entièrement vertes. Toutes les plantes voient peu à peu leurs feuilles jaunir et tomber. Les plantes à fleurs ou à fruits ne produisent pas de bouton ou, si elles le font, leurs boutons dépérissent sur la tige et tombent. Bref, même si certaines plantes supportent mieux que d'autres le manque de lumière, aucune plante ne peut vivre, et encore moins pousser, sans recevoir un minimum de lumière.

D'autre part, les rayons trop directs du soleil peuvent faire brunir les feuilles. Elles deviennent grisâtres aux endroits brûlés et le reste de la feuille se décolore. Si la plante est de celles qui ne peuvent s'adapter aux rayons directs du soleil, elle deviendra flasque, dépérira et mourra. Lorsqu'une plante pousse sous le soleil direct, elle a besoin d'une plus grande quantité d'eau (voir page 44) et

Ma plante est malade

d'une fertilisation régulière (voir pages 47 à 52). Sous le soleil direct, les plantes souffriront aussi d'un autre problème:celui de la température trop élevée, particulièrement le midi et l'après-midi (pages 41 - 42). Si vous voulez placer une plante sous le soleil direct, déménagez-la progressivement pour lui permettre de s'y adapter, surtout si elle n'y est pas habituée. (Prenez les mêmes précautions que lorsque vous commencez vous-même à vous faire bronzer.) Vous pouvez réduire l'intensité du soleil en gardant fermés des rideaux diaphanes ou en baissant un peu le store. Le soleil est beaucoup moins intense l'hiver que l'été, par conséquent une plante vigoureuse sous le soleil de l'hiver peut soudainement être brûlée par le soleil d'été. Le soleil du matin, depuis son lever jusqu'à 11 heures environ, cause rarement des problèmes et c'est à ce moment qu'il est le plus bénéfique tant pour les plantes d'intérieur que d'extérieur. La pratique qui consiste à placer les plantes d'intérieur dehors pour l'été est à déconseiller.

La lumière est mesurée à la fois par son intensité et par la durée des journées. L'intensité sera forte, moyenne

ou faible. Idéalement, la lumière forte est celle d'une fenêtre dirigée vers le sud puisqu'elle laisse pénétrer le soleil presque toute la journée, fournissant ainsi la plus grande intensité de lumière pour le plus long laps de temps. La lumière moyenne peut être celle des fenêtres dirigées vers l'est ou l'ouest qui, respectivement, laissent pénétrer le soleil de l'avant-midi ou de l'après-midi et la clarté le reste de la journée. La lumière faible est celle de la clarté du jour sans soleil direct, comme celle d'une fenêtre dirigée vers le nord.

Certains facteurs peuvent réduire la lumière de toutes ces fenêtres. Les arbres, les bosquets, les édifices voisins, les rideaux, les stores, la pollution de l'air (voir page 35) sont des éléments qui peuvent intervenir pour diminuer l'intensité et la durée de la lumière du jour. Souvenez-vous que la lumière reflétée sur les murs blancs est plus intense que la lumière absorbée par des murs plus foncés, qu'une lumière suffisante pour lire est une lumière faible pour les plantes et que les plantes éloignées de la lumière, ne serait-ce que de 30 ou de 60 cm., recoivent considérablement moins de lumière que les plantes placées directement devant la fenêtre. L'espace du mur situé entre deux fenêtres est probablement l'endroit le plus sombre de la pièce sauf si les fenêtres forment un angle.

La durée des journées représente le nombre d'heures durant lesquelles les plantes recoivent la lumière du jour. Les courtes journées d'hiver provoquent un repos végétatif chez la plupart des plantes; cependant si la température descend en bas de -12°C, elles favorisent aussi la formation de boutons de fleurs chez d'autres espèces, en particulier le cactus de Noël (zygocactus), les chrysanthèmes et les poinsettias. D'autre part, les bromélies et plusieurs plantes annuelles ne fleurissent que lorsque les journées rallongent (environ 12 à 16 heures). Certaines plantes comme les violettes africaines fleurissent indifféremment, quelle que soit la longueur des jours. *Les remèdes.* Vous pouvez ne cultiver que les plantes qui s'adaptent à votre éclairage ou encore adaptez votre éclairage à vos plantes. Avant de faire l'acquisition de nouvelles plantes, informez-vous de leurs exigences en matière d'éclairage. La plupart des plantes à fleurs et à fruits, les cactus et les bromélies demandent une lumière forte. Les gesnérias, les ficus, les fougères, les lierres et les palmiers sont des plantes qui s'accomodent d'une lumière moyenne. Les dracaenas, les pépéromias, les philo-dendrons, les aspidistras et les spathiphyllum se content-tent d'une lumière faible.Si la lumière est insuffisante dans votre intérieur, pensez à l'éclairage artificiel. Les lampes au mercure, fluorescentes, incandescentes ou les lampes à forte intensité peuvent servir d'appoint à la lumière naturelle ou la remplacer totalement dans les coins sombres.Une croissance exagérément en longueur indique que les plantes s'étirent vers la lumière. Placez ces plantes sur le rebord des fenêtres avec celles qui ont le plus besoin de lumière. De temps en temps, tournez vos pots d'un quart de tour pour éviter qu'elles ne poussent que d'un côté.Certaines jeunes plantes et plusieurs espèces com-munes de plantes à feuillage peuvent s'adapter à une lumière relativement faible quoique leur croissance sera probablement plus lente. Facilitez cette adaptation en déplacant peu à peu la plante vers une lumière plus faible par intervalles de quelques jours jusqu'à ce qu'elle atteigne sa destination définitive. Pour compenser une diminution

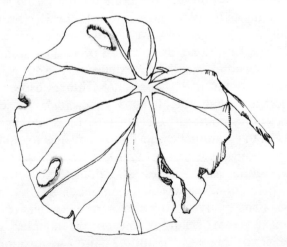

de lurnière attribuable à un déplacement ou à la faiblesse de la lumière hivernale que subissent toutes les plantes, diminuez les arrosages et suspendez la fertilisation jusqu'à ce qu'il y ait une reprise évidente et incontestable de la croissance.

Les avaries physiques causées aux plantes sont généralement bien visibles mais elles sont souvent attribuées aux mauvaises causes. Le transport est responsable de plusieurs déchirures de feuilles ou brisures de branches sur les plantes nouvellement acquises. Même les manipulations les plus prudentes ne peuvent prévenir entièrement certaines avaries pendant l'emballage et le transport.

Les avaries physiques

Si un pot a été frappé, il est possible que vous ne vous rendiez pas compte immédiatement de l'étendue des dommages, surtout dans le cas des grosses plantes feuillues et branchues. Mises à part les contusions et les déchirures des feuilles et des branches, si le pot a été heurté avec violence les racines peuvent avoir été endommagées et il se peut que la plante prenne quelque temps à s'en remettre. Les cordes ou les lanières de cuir des jardinières suspendues pourrissent souvent imperceptiblement, particulièrement à l'endroit où elles sont attachées à la jardinière. Par conséquent, vous pouvez arriver chez vous un jour et retrouver votre plante en mille miettes sur le plancher et sur le rebord de la fenêtre.

Les cactus et autres plantes grasses poussent en général dans des pots relativement petits à cause de leur faible réseau de racines. Mais lorsque la partie supérieure de la plante devient grosse et lourde, il peut arriver que le pot en entier bascule et que les feuilles et les tiges se brisent ou que la plante soit décapitée.

Les courants d'air tassent parfois les plantes les unes sur les autres et, sous la pression, les tissus faibles ou fragiles de certaines plantes peuvent fendre. Les épines des cactus peuvent trouer ou déchirer les feuillages adjacents surtout s'il s'agit de plantes vivaces à larges feuilles. Les feuilles petites et cassantes des plantes grasses peuvent être brisées par l'arrosoir ou par vos propres mains.

Les remèdes. Retirez les feuilles brisées ou déchirées et jetez-les, sauf si elles peuvent servir de boutures. Les blessures ouvertes pourrissent et favorisent le développement des maladies (voir pages 37 à 40, 84 à 91). Prévenez les accidents en plaçant les pots et les soucoupes bien à plat sur le rebord des fenêtres. Si c'est possible, élargissez le rebord de la fenêtre pour les grosses plantes.

Si des pots ont été brisés, rempotez les plantes aussitôt que possible afin de préserver le réseau de racines du dessèchement (voir page 38). Si vous ne pouvez pas rempoter immédiatement, protégez au moins les racines en les enfermant dans un sac de plastique.

Les cordes et lanières de cuir des jardinières doivent être renforcées avec du fil à pêche de nylon. Ce fil est presqu'invisible et les arrosages fréquents ne le feront pas pourrir.

Les plantes dont la partie supérieure est lourde doivent être rempotées dans des pots plus grands. Si vous jugez le réseau de racines trop peu développé pour un pot plus grand, comblez la différence avec une couche épaisse de matériau à drainage (voir page 25) plutôt que de rajouter trop de terreau. La forme accroupie des pots

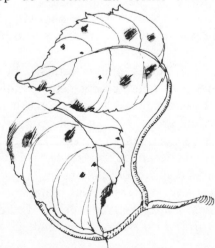

d'azalées (disponibles dans toutes les tailles) et des terrines à bulbes (6 à 9 tailles disponibles) ancrera solidement vos plantes lourdes ou branchues.

Prévenez contusions et déchirures en laissant à chaque plante un espace suffisant compte tenu du vent et ne les placez pas dans les courants d'air.

Lors de l'arrosage et de l'entretien des plantes grasses, procédez avec délicatesse pour ne pas heurter les feuilles cassantes. La plupart des feuilles de ces plantes pourriront et donneront naissance à d'autres petites plantes si elles touchent à la surface du sol ou si elles y pénètrent légèrement.

Si vous habitez dans un rayon de 175 km d'un centre industriel, le taux élevé de pollution peut provoquer chez vos plantes le jaunissement, des taches sur les feuilles et leur chûte, une croissance tortueuse, des brûlures sur le bord des feuilles, la faiblesse généralisée et finalement la mort. La pollution peut aussi venir de l'intérieur: fumée du foyer ou de cigarettes, gaz, huile, kérosène, poussière ou pommes qui mûrissent.

La pollution

Les dégâts causés par la fumée se manifestent par des brûlures aux extrémités et sur les bords de la feuille (dessèchement et brunissement), par une décoloration et une défoliation sévère et brusque et parfois par la mort soudaine. Comme la fumée (celle d'une fournaise défectueuse, par exemple) s'accumule sous les plafonds, les plantes peuvent perdre la partie supérieure de leur feuillage alors que les feuilles du bas continuent à survivre.

D'autres composants de la pollution urbaine, les hydrocarbones et l'ozone non saturés, provoquent des taches, des lésions et des parties mortes sur les feuilles, favorisant ainsi les invasions de parasites et le développement des maladies (voir pages 83 à 90). Certaines plantes peuvent dépérir en 48 heures si elles sont sans cesse exposées au smog. La saleté, la poussière et la graisse forment un enduit sur les feuilles, provoquant peu à peu leur faiblesse, leur décoloration et leur déclin. Les plantes de la cuisine seront probablement les premières atteintes.

Le gaz manufacturé utilisé pour la cuisine et le chauffage peut occasionner le brunissement, le dépérissement ou la mort soudaine des plantes parce que même s'il brûle, le gaz n'est pas entièrement inflammé. Le gaz naturel, rarement dommageable pour les plantes, a maintenant remplacé le gaz synthétisé et il est prévisible que, à l'avenir, d'autres sources d'énergie élimineront complètement le gaz.

Les pommes qui mûrissent dégagent du gaz éthylène qui peut jaunir ou décolorer les feuillages avoisinants.

Les remèdes. La chaleur et l'humidité augmentent la pollution intérieure et extérieure. Ouvrez portes et fenêtres pour aérer et utilisez des ventilateurs et des appareils à air conditionné pour diminuer l'humidité et la température, faire circuler l'air et dissiper smog, fumée et autres émanations. Lorsque vous allumez un feu de foyer, aérez bien la

pièce ou retirez-en les plantes. Quand la température est chaude et humide, gardez vos plantes en état de sécheresse relative et évitez qu'un surplus d'humidité se dépose sur les feuilles.

On peut nettoyer les feuilles sales ou poussiéreuses avec un vaporisateur ou encore, pour les feuilles plus larges, avec une éponge. Enlevez la graisse à l'eau savonneuse à l'aide de serviettes de papier ou d'une éponge. Servez-vous cependant de vrai savon, en pain ou en flocons, et non de détergent.

Les plants de tomates et les cerisiers de Jérusalem sont les meilleurs indicateurs des fuites de gaz parce qu'ils y réagissent rapidement et spectaculairement. Les cerisiers de Jérusalem noircissent en une nuit. Si des fuites de gaz se reproduisent à plusieurs reprises sans qu'il n'y ait de cause mécanique apparente, il s'agit peut-être de courants d'air qui éteignent les brûleurs.

Les pommes qui mûrissent doivent être conservées au réfrigérateur ou dans les pièces où il n'y a pas de plantes.

Empotage et rempotage

Le rempotage, conseillé pour remédier à plusieurs problèmes des plantes, peut lui-même devenir problématique si certaines règles ne sont pas respectées.

Le rempotage est le procédé qui consiste à retirer une plante de son pot, à changer le sol ou la couche de drainage, parfois à tailler les racines puis à remettre la plante dans le même pot, dans un pot de la même grandeur ou dans un pot plus petit. Le rempotage est nécessaire lorsque la plante souffre d'un sol trop compact, d'un mauvais drainage, d'une accumulation de sels minéraux, de nutrition inadéquate ou d'une invasion de parasites du sol.

Lorsqu'il est nécessaire de tailler les racines, nettoyez-les sous l'eau tiède du robinet. Allez-y doucement mais sans crainte lorsque les racines sont propres, coupez toutes celles qui sont endommagées, noircies, brisées, infectées ou exagérément longues. Servez-vous de ciseaux bien affilés ou d'un greffoir. Quand vous taillez les racines, coupez-les à leur naissance ou légèrement plus haut. Ne laissez pas le temps aux racines saines de se dessécher.

Pour rempoter, étalez bien les racines dans un sol approprié. Arrosez la plante et placez-la dans un sac de plastique perforé de petits trous d'aération (environ 1 cm). Laissez-la couverte pour une semaine environ.

L'empotage est le procédé qui consiste à déménager une plante dans le pot de la grandeur suivante. L'empotage est nécessaire lorsqu'à plusieurs reprises la plante se fane après les arrosages, que les feuilles du bas jaunissent et tombent et que la croissance de la plante est entravée ou arrêtée. Si un ou plusieurs de ces symptômes se manifestent, retirez la plante de son pot en prenant soin de garder le réseau de racines intact. Si les racines sont enroulées en masse dense sur les côtés de la motte, l'empotage s'impose. Lorsque les racines sont trop à l'étroit dans un pot, il n'y reste plus assez de sol pour retenir l'eau jusqu'à ce que la plante l'absorbe. Elle réagit alors en concentrant toutes ses réserves dans les nouvelles pousses au détriment des anciennes ou encore ne produit que de nouvelles pousses rabougries pour conserver une petite réserve d'eau. Si la plante reste à l'étroit trop longtemps, elle dépérira, indépendemment de la quantité d'eau qu'elle reçoit et les dépérissements répétitifs affaiblissent toute la structure de la plante.

Les remèdes. En général quand vous sortez une plante de son pot vous devez garder la motte de sol et de racines aussi intacte que possible. Cependant s'il s'agit d'enrayer une invasion d'insectes du sol ou de couper des racines pourries, il se peut que vous soyez obligés de nettoyer tout le sol qui adhère aux racines. Évitez de tirer ou d'arracher les grosses racines ou de briser les petites racines nourricières. Secouez doucement la motte pour en détacher le plus possible le sol et lavez le reste sous un jet d'eau lent et tiède. Pour la taille des racines, servez-vous d'un petit couteau de cuisine bien aiguisé. Après le rempotage, assurez beaucoup d'humidité à la plante en la vaporisant (voir page 95) plusieurs fois par jour ou en l'enfermant dans un sac de plastique ample, percé de petits trous d'aération, jusqu'à ce que le réseau de racines soit regénéré.

Rempotez vos plantes en respectant la ligne de démarcation du sol qui apparaît sur la tige ou le tronc principal. Si la ligne initiale est enfoncée dans le sol, les racines vont se détériorer et l'excroissance supérieure dépérir. Par contre, si elle dépasse du sol, les racines du dessus seront dénudées et mourront, entraînant peut-être la chûte de la plante. Vous reconnaîtrez la ligne du sol par la couleur du tronc ou du collet de la plante, plus pâle sous la ligne et plus foncée au-dessus.

Quelle que soit la raison de l'empotage ou du rem-potage, le pot doit être juste assez grand pour que le réseau de racines y tienne confortablement, avec une mince couche de sol sur les parois et dans le fond du pot. Les sols des pots trop grands s'inondent facilement et les

plantes souffrent d'excès d'eau et/ou de mauvais drainage. Si vous coupez des racines et que vous devez rempoter dans un pot plus petit, assurez-vous qu'elles ne sont pas coincées pour ne pas les écraser ou les briser.

Évitez que les racines aient le temps de se dessécher avant que vous ne rempotiez. Si, pour une raison quelconque, vous devez interrompre votre travail, humectez la motte et enfermez-la dans un sac de plastique. Les racines dénudées doivent toujours rester humides. Si vous retirez vos plantes annuelles du jardin pour les empoter à l'intérieur, sortez doucement le réseau de racines avec une bonne quantité de sol, humectez-le et mettez-le dans un sac de plastique ou dans un seau d'eau jusqu'à ce que vous soyez prêts à l'empoter. Les plantes sans pots expédiées par la poste et toutes les plantes que l'on change de pot doivent être traitées de la même façon.

Accumulation de sels minéraux

Une croûte dure et blanche sur le dessus du sol ou le rebord du pot indique une accumulation excessive de sels minéraux dans le sol. Les plantes affectées présentent des brûlures sur le bout ou les bords des feuilles, des brûlures et des détériorations des racines, des feuilles épaissies dont les pores transpirent. Tous ces symptômes diminuent l'évaporation de l'eau et la circulation de l'air.

Un sol trop vieux, des fertilisations répétées et le fait de ne pas donner suffisamment d'eau à la fois à une plante sont des facteurs qui favorisent une accumulation excessive de sels minéraux. Dans certaines villes, l'eau du robinet a une teneur en sels minéraux trop forte pour la santé des plantes.

L'eau qui s'écoule par les trous de drainage filtre une partie des sels minéraux mais dans les contenants sans trous, le processus de filtration est considérablement entravé.

Les remèdes. Si l'eau du robinet contient trop de sels minéraux, mêlez-la à de l'eau de pluie, à de la neige fondue ou à de l'eau distillée. Éliminez les excédents de sels par des arrosages abondants et répétitifs, jusqu'à ce que

l'eau s'égoutte par les trous de drainage (inondez littérale-
ment la plante).

Si le rebord du pot est profondément incrusté, il est
probablement temps de rempoter la plante. Les pots
d'argile absorbent une plus grande quantité de sels
minéraux, ils sont donc à conseiller si l'accumulation de
sels se répète régulièrement et/ou si l'eau de votre robinet
contient trop de sels minéraux. Choisissez un sol légèrement acide (voir page 21).

La plupart des plantes d'intérieur se plaisent dans une
pièce dont la température varie entre 10°C et 23°C. Cependant dans les pièces froides, les fenêtres exposées au vent,
les coins et les planchers peuvent être beaucoup plus froids
que le reste. L'hiver, les plantes qui touchent les vitres de
la fenêtre peuvent geler si la température extérieure descend sous 0°C. S'il fait trop froid pour elles, les feuilles des
plantes s'enroulent, brunissent et tombent.

**La
température**

froid excessif   chaleur excessive

Les feuilles qui jaunissent, se fanent et tombent, surtout s'il s'agit des plus vieilles, dénotent une chaleur excessive à laquelle la plante ne peut s'adapter. Certaines plantes peuvent mourir en quelques jours si elles sont soumises à des températures trop élevées. D'autres survivent plus longtemps mais deviennent très vulnérables aux invasions de plusieurs espèces de parasites (voir pages 55 à 69). Les plantes que l'on place sur le dessus ou à proximité des calorifères ou encore sur le plancher, juste au-dessus de la chaudière de la cave, sont soumises à des températures beaucoup plus chaudes que les autres. Si l'excès de chaleur provoque le dépérissement d'une plante dont le sol est constamment humide, les racines commenceront à pourrir.

Peu importe le degré de température qu'elles préfèrent, plusieurs plantes pousseront mieux si la température nocturne est inférieure de 5 ou 6°C à celle du jour. Provenant de régions à basse altitude, près de l'équateur où il fait toujours très chaud, certaines plantes peuvent pousser dans des pièces chaudes sans que la température baisse pendant la nuit; ce sont, par exemple, les dieffenbachias, les philodendrons, la maranta, le caladium, l'aglaomena et certaines broméliacées. D'autres, comme le podocarpus, le pittospurum, l'auracaria, l'aucuba, les lierres et le bambou sont des plantes tropicales de haute altitude et peuvent vivre dans les fenêtres froides, les vérandas et les pièces à air conditionné. Connaître le lieu d'origine d'une plante vous aidera à déterminer la température qui lui plaît.

Les remèdes. Lisez la température à différents moments du jour et de la nuit dans les endroits où vous avez des plantes, là où vous désirez en mettre et dans les endroits problématiques. L'hiver, calfeutrez les fenêtres par lesquelles l'air extérieur pénètre.

Les plantes qui se languissent dans des fenêtres ouest ou sud souffrent peut-être du soleil de l'après-midi. Éloignez-les de 5 ou 10 cm. de la fenêtre, surtout l'été, ou tamisez la lumière avec des rideaux légers ou des stores à demi tirés.

Si vous devez placer des plantes sur les radiateurs, disposez-les sur des plateaux de gravier et d'eau et recouvrez vos radiateurs d'une feuille d'amiante l'hiver.

S'il s'agit d'un système de radiateurs à la vapeur, fermez vos radiateurs aussi souvent que possible, surtout la nuit. Si vous le pouvez, baissez le thermostat dans une pièce et amenez-y pour la nuit celles de vos plantes qui ont besoin de fraîcheur. Les plantes qui aiment la fraîcheur se plaisent dans les pièces à air conditionné, en autant qu'elles ne soient pas trop près de la bouche d'air.

L'arrosage

Les galles ou les excroissances liégeuses sur l'envers des feuilles ou sur les branches, les racines pourries, les feuillages fanés et retombants, les tiges et les feuilles qui noircissent, les feuilles flasques des plantes grasses sont tous les symptômes d'arrosages excessifs. Ces mêmes symptômes peuvent indiquer une maladie fongueuse consécutive à un excès d'eau.

Si la plante dépérit peu à peu et que le sol très sec se contracte et se décolle des parois du pot, les arrosages sont insuffisants. Autres symptômes du manque d'eau: le

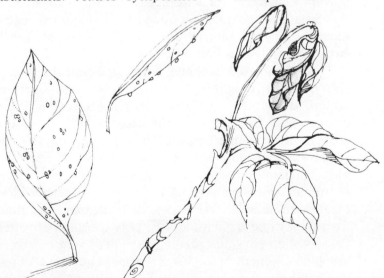

feuillage des plantes à larges feuilles fonce et devient cassant, les feuilles plus anciennes tombent, les feuilles et les tiges ont tendance à pâlir et à se ratatiner.

Le processus d'absorption d'eau rejette le dioxyde de carbone de la zone des racines et y fait pénétrer l'oxygène. La plupart des plantes souffriront d'un grave endommagement de leurs racines et mourront éventuellement si elles sont continuellement mouillées ou sèches.

La fréquence des arrosages dépend des conditions inhérentes aux différents milieux d'origine des plantes. Les plantes originaires de régions sèches doivent être arrosées en profondeur mais il faut leur allouer plusieurs jours pour sécher avant de les arroser de nouveau.

Enfoncez votre doigt 4 ou 5 cm dans le sol des grands pots pour être sûr qu'il est vraiment sec. Cependant, gardez à l'esprit qu'aucune plante ne peut vivre indéfiniment en état de sécheresse. Même les cactus du désert sont habitués à des chûtes de pluie abondantes, à de brefs orages et même à la neige dans leur environnement naturel.

Les plantes qui requièrent une humidité constante doivent également être détrempées en profondeur mais on doit les arroser de nouveau quand le sol est encore légèrement humide. La plupart des plantes intérieures doivent être arrosées dès que leur sol est sec.

Quelle que soit la plante, il est impossible d'établir un calendrier d'arrosages réguliers qui puisse s'appliquer tout au long de l'année. La plupart des plantes exigent des arrosages plus fréquents le printemps et l'été, lorsque la chaleur favorise une évaporation rapide et que la croissance accélérée du réseau de racines absorbe l'eau plus vite. Les plantes qui poussent dans une ambiance fraîche et humide prennent plus de temps à se dessécher et les plantes en état de repos végétatif demandent moins d'arrosages que d'habitude. Les pots d'argile permettent l'évaporation par leurs parois parce qu'ils sont poreux, et les plantes sèchent donc plus rapidement que dans les pots de plastique.

Les remèdes. Comme certains symptômes d'arrosages excessifs - brunissement et dépérissement du feuillage, par exemple - ressemblent à ceux des arrosages insuffisants, vous devrez vous fier à votre jugement. Si le sol est presque toujours humide et mouillé et que la plante pourrit, il s'agit probablement d'un excès d'eau. Remuez doucement la surface du sol à l'aide d'une fourchette pour faciliter l'évaporation. Placez la plante dans un endroit plus chaud et bien aéré jusqu'à ce qu'elle sèche mais évitez-lui les courants d'air. Coupez les parties endommagées ou pourries. Si ces mesures n'accélèrent pas le rétablissement, la plante est irrécupérable. Si certaines tiges sont restées saines vous voudrez peut-être les bouturer, sinon, jetez toute la plante.

Le manque d'eau est facilement identifiable parce que la plante dépérit en se desséchant plutôt qu'en pourrissant et que le sol est presque toujours sec. La cause de votre problème n'est peut-être pas la fréquence des arrosages mais bien la quantité d'eau que vous utilisez. Si vous ne donnez pas suffisamment d'eau à la fois à la plante et que le sol n'est pas entièrement saturé, les racines du fond reçoivent peu ou pas d'eau et la plante présente les mêmes symptômes que si vous ne l'arrosiez pas assez souvent. Pour être sûr de mouiller le sol en profondeur, arrosez lentement et sur toute la surface du sol jusqu'à ce qu'un excédent d'eau dégoutte des trous de drainage mais ne laissez pas vos pots séjourner dans des soucoupes ou des jardinières pleines d'eau. L'arrosoir à long bec est le meilleur instrument pour arroser les plantes en pots parce qu'il vous permet d'insérer le bec entre les feuilles des plantes denses et ainsi de bien arroser le sol sans mouiller le feuillage. Les feuilles de certaines plantes ont tendance à pourrir si on verse trop souvent de l'eau sur elles.

Avant d'arroser de nouveau, laissez sécher les plantes assez longtemps pour qu'elles ressentent le besoin d'eau. Retirez les feuilles et les tiges endommagées. Les plantes qui manquent d'eau se redressent en général en quelques heures après un arrosage en profondeur. Vous pouvez accélérer leur rétablissement en les enfermant pendant quelques heures dans un sac de plastique ample.

Les plantes affectées. Arrosages excessifs: les cactus et autres plantes grasses, les bégonias, les pépéromias, les piléas et autres plantes semi-grasses à feuilles et tiges charnues, les dracaenas, géranium et la plupart des géraniacées, les plantes à bulbes comme les glaïeuls, les amarylis et les narcisses.

Arrosages insuffisants: les fougères, les cissus, les ficus, les lierres, les philodendrons, les plantes des marais et les plantes carnivores, les plantes à fleurs sauf les cactus, les ligustrum et toutes les jeunes plantes.

Chapitre 3

Seize éléments chimiques sont essentiels à la survie et à la croissance normale des plantes: le carbone, l'hydrogène, l'oxygène, l'azote, le phosphore, la potasse, le calcium, le magnésium, le fer et sept autres éléments à l'état de traces. Les trois premiers (carbone, hydrogène et oxygène sont présents dans l'air et dans l'eau, les autres, dans le sol et dans les engrais. L'azote, le phosphore et la potasse sont les ingrédients de base de tous les engrais mais on devrait aussi y retrouver du calcium, du magnésium et du fer en quantités substantielles. Les plantes requièrent également la présence d'autres éléments à l'état de traces, c'est-à-dire en quantités très minimes: le manganèse, le bore, le cuivre, le zinc, le molybdène, le soufre et le chlore.

Les engrais inorganiques, composés d'éléments chimiques, sont généralement moins dispendieux que les engrais organiques, dérivés de déchets végétaux ou animaux. De plus, les engrais organiques seront probablement moins susceptibles de fournir aux plantes tous les éléments nutritifs qui leur sont essentiels. Dans le langage de l'horticulture, le terme "engrais complet" désigne un engrais qui recèle de l'azote, du phosphore et de la potasse et d'autres éléments en quantité incertaine. L'engrais vraiment complet qui contient tous les éléments sera plutôt désigné sous le nom d' "engrais bien équilibré".

Lisez les étiquettes; s'il manque certains éléments dans un engrais soi-disant complet, vous devrez combler ces lacunes avec un engrais bien équilibré. Les chiffres imprimés sur l'étiquette juste au-dessous de la marque de commerce, 5-10-15 par exemple, indiquent dans l'ordre les pourcentages d'azote (N), de phosphore (P) et de potasse (K) de cet engrais, c'est-à-dire son N-P-K. Les autres éléments seront énumérés dans la liste des ingrédients. Si les plantes souffrent de carences alimentaires, elles présenteront des symptômes de mauvaise santé: décoloration du feuillage, ralentissement de la croissance, déformation des tiges ou faiblesse généralisée. Tous les problèmes alimentaires peuvent être éliminés si les plantes sont empotées dans un sol organique riche et fertilisées régulièrement avec un engrais bien équilibré. Peu importe la composition du sol, la fertilisation doit commencer aussitôt que la plante est mise en pot ou que vous en faites l'acquisition.

Les engrais qui se décomposent lentement par l'action d'arrosages successifs et qui libèrent leurs éléments nutritifs sur une longue période de temps (comme la poudre d'os) ne doivent être utilisés qu'une fois tous les cinq ou six mois, selon leur type ou leur marque de commerce. Appliquez les autres types d'engrais environ toutes les deux semaines pendant la période de croissance active du printemps et de l'été et environ une fois par mois pendant la période de croissance lente de l'automne et de l'hiver. Interrompez complètement la fertilisation pendant la période de repos végétatif.

Réduisez du tiers ou de moitié les dosages suggérés sur les étiquettes des boîtes. Même en pleine période de croissance active, les conditions intérieures ne permettent pas la croissance débridée et luxuriante que l'on retrouve à l'extérieur; la fertilisation doit donc être diminuée proportionnellement pour correspondre à une croissance plus lente et plus contrôlée. Rappelez-vous qu'une fertilisation insuffisante sera beaucoup moins nuisible à vos plantes qu'une fertilisation excessive. Les fertilisations trop fortes ou trop fréquentes brûlent les racines des plantes et peuvent entraîner la mort de la pousse supérieure.

L'azote (N)

L'azote est la partie de la molécule de chlorophylle qui donne aux plantes saines leur belle couleur verte. L'insuffisance d'azote se manifeste par l'arrêt de la croissance de la plante et par le jaunissement des feuilles qui deviennent chlorotiques. Les feuilles les plus anciennes sont les premières à s'affadir et si la carence est grave, elles bruniront puis mourront. Au contraire, un excès d'azote provoque une croissance exagérément allongée qui diminue le temps d'épanouissement et rend la plante faible et flasque. Dans cet état, la plante est vulnérable aux insectes et aux maladies. Ses racines sont brûlées et la partie supérieure de la plante subit des dépérissements répétitifs comme si elle manquait d'eau.

Les remèdes. La poudre d'os, le sang désséché, l'engrais animal et l'émulsion de poisson sont les meilleurs sources d'azote dans le commerce. Un engrais chimique complet peut aussi procurer des quantitée suffisantes d'azote à la plante. Utilisez-les en concentrations faibles mais relativement fréquemment.

Le phosphore (P)

Le phosphore renforce les racines et les tiges et favorise la formation des graines et la coloration du feuillage. Son insuffisance retarde la croissance et intensifie la coloration verte du feuillage jusqu'à ce qu'il vire au pourpre ou au bronze ou qu'il soit parsemé de taches. Les feuilles anciennes sont les plus sujettes à la décoloration.

Les remèdes. Les engrais complets contiennent du phosphore mais la poudre d'os en est une source particulièrement riche.

La potasse (K)

La potasse est importante parce qu'elle accroît la résistance aux maladies mais aussi parce qu'elle favorise l'abondance du feuillage et le développement des tiges. Son insuffisance se manifeste par des brûlures du bout et des bords de la feuille, sur les feuilles du bas au début puis sur toute la plante. Les feuilles se plissent et s'enroulent et la plante cesse de grandir.

Les remèdes. La lumière et des applications régulières d'engrais approvisionnent la plante en potasse. Les cendres de bois en sont également une bonne source.

Le calcium favorise le développement des fleurs et la croissance des tiges et des racines. La carence en calcium survient lorsque le sol et trop acide (voir page 19) avec comme résultat des bourgeons terminaux qui n'arrivent pas à leur plein développement et de nouvelles feuilles incomplètement formées ou de forme irrégulière. **Le calcium (Ca)**

Les remèdes. La pierre à chaux est le concentré de calcium le plus connu mais il a le désavantage d'augmenter l'alcalinité du sol (voir page 19). Les cendres de bois, les os de poulet, les coquilles d'huitres ou les coquilles d'oeufs broyées sont des sources de calcium qui n'affectent pas le pH du sol. Analysez votre sol pour en connaître le pH et corrigez son alcalinité, s'il y a lieu.

Principal constituant de la molécule de chlorophylle, le magnésium est essentiel à la synthèse chlorophyllique. Son insuffisance provoque la chlorose, ou jaunissement des vieux tissus, tout comme l'insuffisance d'azote mais lorsqu'il s'agit d'une carence de magnésium, les nervures de la feuille restent vertes. Il arrive aussi que les feuilles blanchissent ou se recouvrent d'un enduit pourpre qui brunit peu à peu. **Le magnésium (Mg)**

Les remèdes. Une trop grande alcalinité du sol empêche la plante d'assimiler le magnésium. Vérifiez le pH du sol (voir page 19) et corrigez son alcalinité, s'il y a lieu. Arrosez la plante avec une solution d'une cuillerée à table de sels d'Epsom (sels de magnésium) dans un litre d'eau pour remédier à cette carence. L'usage régulier d'un engrais bien équilibré préviendra les rechutes.

Comme les carence: de magnésium, l'insuffisance de fer se produit également dans un sol trop alcalin et les feuilles jaunissent alors que les nervures restent vertes (voir page 19). Le fer ne fait pas partie de la molécule de chlorophylle mais il est essentiel à la synthèse chlorophyllique. Son insuffisance se manifeste par l'arrêt de croissance des feuilles et leur enroulement anormal. **Le fer**

Les remèdes. Corrigez le pH du sol et servez-vous du fer vendu dans les boutiques de plantes pour corriger la carence.

Éléments à l'état de traces

Sept autres éléments sont essentiels à la croissance des plantes mais seulement en très petites quantités, autrement ils deviennent toxiques.

Une carence de manganèse provoque le jaunissement des jeunes feuilles alors que toutes les nervures, même minuscules, restent vertes et donnent aux plantes l'apparence d'un ouvrage au filet.

L'insuffisance de bore provoque l'arrêt de croissance des nouvelles feuilles et leur flétrissement à partir de la base. Les feuilles deviennent tombantes et les boutons finissent par mourir.

S'il y a carence de cuivre, les feuilles deviennent exagérément grandes et d'un vert très foncé ou encore restent très petites et tombent rapidement. Les jeunes pousses meurent en dégageant une substance brun-rouge et visqueuse.

La carence de zinc se manifeste par de nouvelles feuilles petites, plissées et chlorotiques avec de très petits espaces entre les feuilles ce qui donne à la plante une allure inhabituelle. Si cet état se prolonge, la défoliation se propage de la base et finit par englober toute la plante.

L'absence de molybdène se manifeste par des feuilles tachetées, enroulées et aux formes irrégulières.

La carence de soufre ressemble à la carence d'azote (voir page 50) mais son effet est moins accentué. La croissance de la plante et la production des fleurs et des fruits sont retardées. Comme le soufre sert à augmenter l'acidité du sol (voir page 19), son insuffisance peut occasionner des carences de fer et de magnésium.

Le chlore est nécessaire en petites quantités à la croissance des plantes, mais la plupart des plantes intérieures en reçoivent beaucoup trop à cause de l'eau chlorée dont on se sert dans la plupart des villes. Lorsque le surplus n'est pas trop accentué, il rend les feuilles épaisses et cassantes. Un excès important brûle et détruit les racines des plantes. Le soleil neutralisera ou fera évaporer le chlore si l'eau peut séjourner environ 24 heures dans un endroit ensoleillé avant de servir à l'arrosage des plantes.

Au jardin, certains insectes sont utiles et même nécessaires alors que d'autres sont définitivement nuisibles. Par contre, à l'intérieur il vaut mieux présumer que toute présence d'insecte constitue un danger pour la plante affectée. Si on n'y veille pas, les invasions d'insectes se répandent d'une plante à toutes les autres et elles peuvent en mourir.

Les insectes apparaissent de plusieurs façons; ils peuvent être apportés de l'extérieur sur vos mains, vos outils de jardinage ou vos vêtements, par des animaux qui frôlent les plantes ou même par un vent fort qui pénètre par la fenêtre ouverte. Certains insectes plus gros sont des insectes d'été et lorsque l'automne arrive, ils pénètrent dans les maisons chauffées pour hiverner et se nourrisent de plantes d'intérieur. D'autres, plus petits et plus répandus, peuvent se développer à partir d'oeufs microscopiques logés dans la plante avant même que vous ne l'apportiez à la maison.

Il vous est évidemment impossible d'examiner quotidiennement toutes les fissures et les crevasses de votre maison pour vous assurer qu'aucun insecte n'a pénétré à l'intérieur. Il est également impensable de regarder tous les jours à la loupe chacune de vos plantes pour détecter des oeufs d'insectes. Mais un examen attentif de vos plantes de temps à autre, lorsque vous les arrosez par exemple,

devrait vous révéler les signes précurseurs d'invasions d'insectes. Si vous isolez et traitez immédiatement la plante affectée, non seulement vous sauverez mais vous empêcherez l'infestation de se propager aux autres plantes.

Fourmis

En général les fourmis ne sont pas un problème majeur à l'intérieur, mais certaines petites espèces de maison ou de jardin sont attirées par les plantes couvertes de la miellure sécretée par les cochenilles farineuses, les pucerons et les kermès. Les fourmis empirent alors les dégâts déjà causés par ces insectes. Elles peuvent également compliquer le problème de l'extermination des autres insectes parce qu'elles se déplacent très rapidement et ont tendance à les transporter d'une plante à une autre.

Dans certaines circonstances, des colonies entières peuvent vivre et travailler dans les boîtes à fleurs ou les pots, déterrant et transportant les jeunes plants et les semis récents. Les racines des autres plantes sont alors sérieusement perturbées par les activités de transport des fourmis. Certaines fourmis propagent des organismes bactériens ou fongueux qui causeront plus tard des problèmes aux plantes.

Les remèdes. Gardez l'endroit où poussent vos plantes propre et exempt des déchets et des végétaux en décomposition qui attirent les colonies de fourmis. Traitez la surface des sols, les tablettes où sont les pots et les fourmilières avec une solution d'arrosage, comme le Malathion. Si ce sont d'autres insectes qui attirent les fourmis, vous devez bien sûr traiter les plantes contre ces insectes.

Plantes affectées: Les jeunes plants, les nouveaux semis et les plantes qui attirent particulièrement les pucerons, les cochenilles farineuses et les kermès.

Ma plante est malade

Pucerons   Les pucerons sont des insectes au corps rond et mou, petits mais visibles à l'oeil nu. Ce sont les insectes nuisibles les plus répandus mais aussi les plus faciles à éliminer. Ils ont tendance à vivre en groupes sur les tiges, là où les tissus de la plante sont les plus tendres.

Les pucerons nuisent aux plantes en suçant la sève des nouvelles feuilles, des bourgeons et des fleurs, ce qui a pour effet de les déformer et de les enrouler. Certains d'entre eux sont porteurs de maladies (voir page 83 à 89). On les détecte en général par leur miellure qui attire les fourmis et recouvre éventuellement toute la feuille d'un enduit noir de suie. Certains pucerons volent et d'autres nagent mais la plupart son transportés sur les mains, sur les outils de jardinage et les pots qui arrivent de l'extérieur ou encore par les fourmis.

Certains d'entre-eux se nourrissent sur une seule plante; d'autres ont tendance à émigrer d'une plante à une autre. Certaines espèces, lorsqu'elles viennent d'éclore, se nourrissent de nouvelles pousses et leur action dégage une toxine qui provoque la formation de galles sur les branches. Chaque galle contient une colonie de jeunes pucerons qui y vivent et s'y nourrissent jusqu'à la maturité. La galle éclot alors et libère les adultes qui se nourriront et se reproduiront sur d'autres plantes.

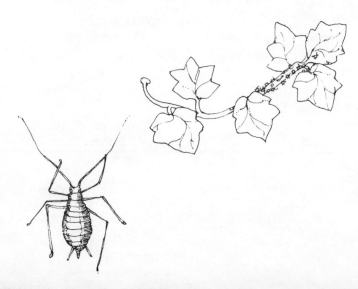

Les remèdes. Une infestation mineure peut être enrayée par un jet d'eau tiède, pure ou savonneuse. Pour plus de sûreté, ajoutez une cuillère à thé de sulfate de nicotine à quatre litres d'eau savonneuse. Les pulvérisations à base de roténone et de pyrèthre, conçues pour les plantes intérieures, sont efficaces mais dans le cas d'infestations graves le Malathion reste l'insecticide le plus efficace.

Plantes affectées: Les avocados, les citrus, les cyclamen, les bégonias, les chrysanthèmes, le dieffenbachia, le gardénia, les géraniums, les hérédas, les vignes, les palmiers, les plantes annuelles empotées pour la floraison hivernale, et de façon générale, les plantes qui poussent sous des températures basses. Les fougères sont parfois atteintes, mais les pulvérisations de produits chimiques risquent de les tuer et vous devrez avoir recours à des solutions non-chimiques ou à un insecticide d'ingestion organique, appliqué au sol.

Les pucerons producteurs de galles attaquent les gardénias, les géraniacées, les fougères ornementales, les bégonias, les fuchias, les poinsettias et les ficus.

Parasites des bulbes

La grosse mouche du narcisse qui ressemble à un petit bourdon dépose ses oeufs à la base des feuilles ou sur le collet de plusieurs variétés de bulbes hollandais. Des oeufs éclos sortent de gros asticots blancs qui creusent les bulbes et s'en nourrissent, les marquant de cicatrices brunes. Les bulbes affectés deviennent mous et flasques, ne se développent pas ou, au mieux, produisent un feuillage jaune et rabougri et ne fleurissent pas. Les mouches ne sont pas originaires d'Amérique du Nord mais on trouve souvent leurs larves dans les chargements de bulbes importés.

Les cirons des bulbes sont de petits insectes tachetés brun et blanc qui déposent leurs oeufs sous les enveloppes des bourgeons. Les jeunes nymphes se nourrissent massivement de chaque bulbe. Les bulbes affectés deviennent mous et flasques et le feuillage, s'il y en a un, sera rabougri ou jaune. La floraison sera déformée ou inexistante. Les insectes adultes qui sont attirés vers les bulbes par leurs parties pourries ou moisies peuvent communiquer des infections bactériennes ou fongueuses aux bulbes sains.

Le charançon, proche parent du charançon du cyclamen auquel il ressemble, se nourrit au niveau du collet du bulbe, au milieu des feuilles et des fleurs. Le bulbe devient alors mou et spongieux, marqué de cicatrices et ses fleurs et feuilles sont détériorées.

Le puceron du bulbe de tulipe est un insecte farineux d'environ 5 mm. qui existe en plusieurs couleurs vives et qui attaque le bulbe sous le niveau du sol. Il se nourrit aussi des bulbes entreposés. La pousse supérieure devient rabougrie, déformée et meurt.

Les remèdes. Examinez attentivement les bulbes avant de les acheter ou lorsque vous les recevez par la poste afin d'y déceler des zones molles ou des cicatrices rugueuses. Les bulbes sains de toutes les variétés doivent être fermes, blancs, intacts et bien enveloppés d'une fine pelure ressemblant à du papier, généralement brune.

Si vous recevez des bulbes infestés, écartez et brûlez ceux qui, manifestement, sont gravement atteints. Coupez les parties molles et tachées des bulbes légèrement atteints et traitez-les avec une poudre à bulbe.

Si vous ne les plantez pas immédiatement, entreposez les bulbes dans un endroit frais et sec; si vous habitez un appartement, la tablette du bas de votre réfrigérateur conviendra. Les bulbes doivent être traités avec un insecticide à bulbe avant d'être plantés ou entreposés.

Des insecticides d'ingestion comme le Systemic peuvent être pulvérisés sur le feuillage ou appliqués directement sur les bulbes infestés.

Plantes affectées: les narcisses, les amaryllis, les jacinthes, les scillas, les crocus, les tulipes, les glaïeuls.

Chenilles et vers gris

Les petites créatures duveteuses ressemblant à des hérissons qui s'enroulent sur elles-mêmes dès qu'on les touche sont des chenilles. Les espèces duveteuses tout comme les vers plus gros et sans duvet, qu'ils soient multicolores, tachetés ou rayés sont tous des nymphes de papillons et de phalènes. Plusieurs d'entre eux se cachent dans le sol et autour des pots durant le jour et sortent la nuit pour machonner les feuilles, les bourgeons et les fleurs; il n'est pas inhabituel de voir la totalité d'un feuillage dévorée en une seule nuit. Certains vers gris coupent les jeunes plants au ras du sol ou amputent les grosses plantes de branches entières. D'autres insectes peuvent causer des dégâts similaires mais la présence de chenilles est caractéristique à cause des traces d'excréments noirs qu'elles laissent sur le feuillage.

L'une des espèces, le noueur de la feuille peut être identifiée par les fines membranes qu'elle tisse et par le mâchonnement de la face interne des feuilles. La larve de cet insecte est vert pâle et se nourrit sous la feuille, puis l'enroule sur elle et la fixe avec ces fines membranes.

En général, les chenilles et les vers ne sont pas attirés par l'ambiance de nos maisons mais ils y sont souvent transportés sur des fleurs coupées ou des outils de jardinage.

Les remèdes. Saisissez et détruisez tous ceux que vous voyez, surtout s'ils sont peu nombreux. Si vous soupçonnez qu'il y en a d'autres que vous ne pouvez voir, arrosez le sol de la plante avec une solution de *Malathion*.

Plantes affectées: surtout les plantes charnues et molles.

Les cafards ou blattes

Les cafards sont des insectes bruns semblables à des scarabées qui envahissent les maisons chauffées par temps frais et humide et qui se cachent derrière ou sous les meubles, autour des plinthes dans les appareils de télévision et

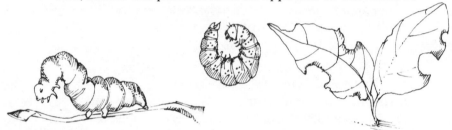

de radio et dans les endroits humides et étroits comme les drains d'éviers, les fissures de la tuyauterie et entre les pots à fleurs et les soucoupes. À l'intérieur, les cafards se nourrissent de détritus, des aliments qu'elles trouvent et des plantes d'appartement. Les plantes affectées donnent l'impression d'avoir été vigoureusement mastiquées.

Les remèdes. Les aérosols à fourmis et à cafards peuvent être vaporisés autour des plantes mais ne doivent pas atteindre les feuillages. Le *Malathion* est efficace contre les cafards et peut être pulvérisé partout sauf sur les aliments et la vaisselle. Les cafards semblent se reproduire en générations de plus en plus résistantes et fortes. Si l'infestation est grave, consultez les autorités sanitaires de votre localité qui vous indiqueront le moyen le plus efficace de vous en débarasser.

Si vous n'en apercevez que quelques-uns, frappez-les avec un tue-mouches. Les nettoyeurs domestiques à base d'huile de pin découragent les invasions futures de cafards et tuent la plupart de ceux qui y sont déjà. Appliquez-les généreusement autour de vos plantes et partout ou les cafards ont tendance à se rassembler. Soyez prudents: ces produits ne doivent pas toucher le feuillage des plantes.

Plantes affectées: la plupart des plantes charnues ou à feuilles molles et les nouvelles pousses. Comme les cafards sont attirées par l'humidité, les plantes qui sont souvent humides, surtout les plantes de terrarium, y sont particulièrement vulnérables. Les végétaux en décomposition les attirent, vos plantes doivent donc être propres et exemptes de feuilles fanées ou mortes.

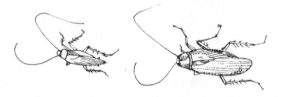

Le chant des criquets est très agréable à entendre par les belles soirées d'été mais lorsqu'ils envahissent la maison, ils se cachent toute la journée sous les pots et les soucoupes, autour des plinthes et dans les détritus, le sol ou la végétation pourrissante et sortent la nuit pour manger les nouvelles pousses des plantes. Si les nouvelles feuilles ne disparaissent que la nuit, soupçonnez les criquets. Ce sont des insectes plutôt gros, bruns ou noirs, prochent parents des sauterelles à qui ils ressemblent quelque peu. Les terrariums y sont particulièrement vulnérables, surtout s'ils renferment des plantes fanées ou pourries.

Les criquets

Les remèdes. S'il n'y a que quelques criquets, on peu facilement les attraper parce qu'ils sont facilement repérables. Les appâts de poison sont la meilleure solution pour enrayer une infestation grave. S'il y a beaucoup de criquets, il est possible que des oeufs aient été déposés dans le sol. Arrosez le sol d'une solution de sulfate de nicotine, de Malathion, ou d'un insecticide d'ingestion.

Plantes affectées: les jeunes plantes, les nouvelles pousses, tous les fruits et légumes, les plantes grasses et les plantes charnues.

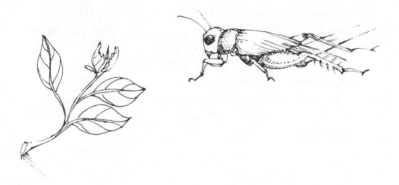

Vers de terre ou lombrics

Les vers de terre sont des créatures de forme allongée dont la pigmentation est rose, brune ou verte. Ils vivent dans le sol et font surface la nuit et exceptionnellement le jour immédiatement après l'arrosage ou si le sol est toujours humide. Ils mesurent de 5 à 25 cm. et peuvent s'étirer ou se contracter considérablement. Ils sont essentiels à la fertilisation et à l'aération du sol dans les champs et dans les jardins, mais dans les pots il en va tout autrement. Ils creusent de trop nombreux tunnels pour un espace aussi réduit, ce qui entraîne le bouleversement du sol et le déssèchement du réseau de racines.

Les remèdes. Vous pouvez les attraper et les détruire ou encore les rejetter à l'extérieur, si vous avec un jardin. Examinez soigneusement les mottes des plantes qui ont passé l'été dehors et des plantes annuelles qui doivent être rentrées pour la floraison intérieure; retirez-en les vers de terre avant de les empoter. Stérélisez le sol extérieur avant l'empotage ou servez-vous de sol pré-stérilisé, le sol des jardins étant susceptibles de cacher des lombrics.

Plantes affectées: les plantes empotées dans un sol non-stérile et les plantes qui aiment l'humidité.

Forficules ou perce-oreilles

Ces insectes brun foncé, semblables à des scarabées, et facilement identifiables à cause des deux appendices en forme de forceps qui terminent leur abdomen, se retrouvent surtout dans les régions côtières. Malgré qu'ils ne soient pas attirés par la vie à l'intérieur, ils se nourrissent dans le feuillage de plusieurs plantes à fleurs, se cachent dans les vêtements qui sèchent dehors et autour des végétaux en décomposition. Ils sont donc transportés dans la maison avec le lavage ou les fleurs coupées. Une fois à l'intérieur, ils se déplacent rapidement et se cachent dans les coussins des sofas, sous la vaisselle ou dans la lingerie, ils sortent la nuit pour se nourrir et se dirigent souvent vers les plantes d'intérieur. Les jeunes forficules mâchonnent les pousses vertes; les adultes percent des trous dans les feuilles, les fleurs et les fruits.

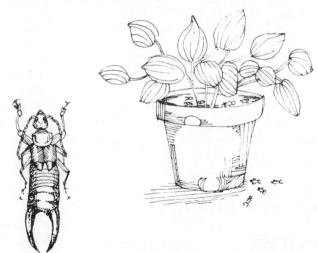

Les remèdes.
Attrapez ceux que vous voyez et détruisez-les. Placez des appâts empoisonnés ou du poison en poudre autour des fondations de la maison, des clôtures et autres endroits

dissimulés pour attraper ces insectes avant qu'ils ne pénètrent dans la maison. Pulvérisez vos plantes de Malathion ou encore arrosez les environs de vos pots d'un insecticide à cafards en évitant toutefois d'en mettre sur les feuillages.

Plantes affectées: les pousses neuves et tendres et les plantes herbacées (à feuilles tendres et molles).

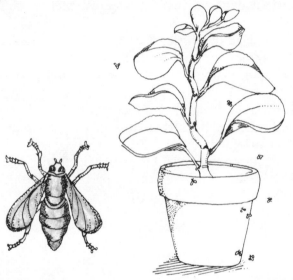

Les mouches à fongus

Ce sont de petites mouches noires qui se nourrissent rarement sur les plantes, mais il est possible que vous les voyez voler autour du feuillage parce qu'elles sont attirées par la lumière. Leurs oeufs, déposés dans le sol, éclosent pour libérer de petits asticots blancs, très minces qui se terrent dans le sol et mangeant les petites racines nourricières, les radicelles et les collets des plantes. Les plantes affectées souffrent de pourriture de la racine et par conséquent leur partie supérieure est faible, ne pousse plus et leur feuillage jaunit. Les racines attaquées développent des plaies par lesquelles des organismes porteurs de maladies peuvent pénétrer (voir pages 90 et 91).

Les remèdes. Stérilisez le sol d'empotage ou utilisez un sol commercial pré-stérilisé. Évitez les excès d'humidité. Les solutions de sulfate de nicotine ou de Malathion versées dans le sol tuent les oeufs et les larves. Les mouches adultes peuvent être éliminées par un insecticide aérosol tout-usage.

Les plantes affectées. Comme ces mouches sont attirées par les végétaux en décomposition, toutes les plantes empotées dans un sol d'humus humide sont susceptibles d'être affectées.

Ce sont les larves de plusieurs variétés de mouches, de phalènes, de tenthrèdes (ou mouche à scie) et de scarabées qui se nourrissent du tissu de la feuille entre la face interne et la face externe. Elles creusent des sillons et des tunnels sinueux dans les feuilles. Certaines larves enroulent le bout des feuilles, s'y glissent et s'y nourrissent jusqu'à ce qu'il soit temps de filer leurs cocons qu'elles fixent aux feuilles. La larve de la mineuse du chrysanthème provoque le dessèchement des feuilles, se suspend aux plantes et comble ses tunnels de ses excréments noirs.

Mineuses de la feuille

Les remèdes. Détruisez les feuilles infestées, endommagées et enroulées et isolez la plante affectée jusqu'à ce que vous soyez certains d'avoir enrayé l'infestation. Gardez la plante relativement sèche. Si l'infestation est

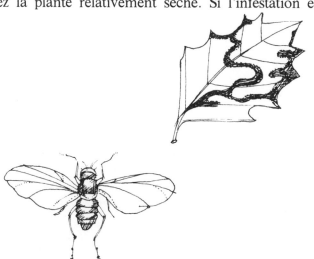

avancée, faites des pulvérisations d'insecticides d'ingestion comme *l'Isotox* ou le *Systemic* ou encore, appliquez des granules de ces insecticides sur le sol (les granules sont vendues sous la même marque de commerce que les solutions)

Les plantes affectées. Les azalées, les browalias, les violettes africaines et les autres géraniacées.

Rouleuses de la feuille

Ces chenilles sont les larves de plusieurs variétés de phalènes et se nourrissent de feuilles qu'elles enroulent autour d'elles pour se protéger. L'espèce à bandes obliques et l'espèce carnivore sont les plus susceptibles d'infester vos plantes d'intérieur. Cette dernière est le fameux charançon du rosier, vert pâle à tête noire qui mine d'abord les feuilles ouvertes puis travaille dans les bourgeons. On peut parfois le détecter assez tôt par les masses d'oeufs que la phalène adulte dépose dans une

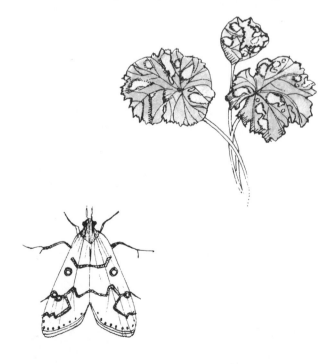

espèce d'enveloppe sur les branches des arbustes orne-
mentaux ou sur les feuilles des rosiers. La rouleuse de la
feuille omnivore est brun-jaunâtre et se nourrit sensible-
ment de la même façon que le charançon du rosier.

Les remèdes. Détruisez les feuilles enroulées. Les insecticides comme le Malathion ou l'Isolox peuvent être
pulvérisés sur le feuillage.

Les plantes affectées. Les roses, les géraniums, les
laurier-roses, les bégonias, les oeillets, les plantes annuelles.

Cochenilles farineuses

La cochenille farineuse est en fait un kermès mais au
lieu d'avoir une petite coquille dure, elle est couverte d'une
substance blanche et cireuse. Logées dans les plantes, au
premier coup d'oeil les cochenilles farineuses ressemblent
à des petits morceaux de ouate déposés sur les axes de la
feuilles ou le long des tiges et des branches. Les cochenilles
farineuses sucent la sève des tissus végétaux provoquant

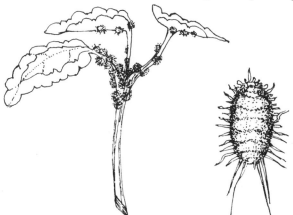

l'arrêt de la croissance, le dépérissement et la défoliation;
peu à peu la plante dépérit et meurt. Ces insectes sécrètent
également une miellure qui attire les fourmis (voir page
55) et favorise le développement de maladies fongueuses.

Certaines espèces s'attaquent à plus de vingt
différentes plantes ou familles de plantes. Contrairement à

la plupart des espèces, la cochenille farineuse de terre vit sur les racines terminales, particulièrement celles des cactus. Toutes les espèces sont difficiles à éliminer.

Les remèdes. Le vieux remède qui consiste à tamponner chaque cochenille farineuse avec un coton-tige trempé dans de l'alcool ou dans le dissolvant de poli (verni) à ongles n'est qu'une perte de temps. D'abord, il est tout à fait fastidieux d'être assis pendant des heures à retirer des centaines d'insectes d'une plante et deuxièmement, l'alcool ou l'acétone abiment les feuillages. De plus, si vous n'oubliez qu'une seule cochenille femelle, celle-ci peut pondre plus de 600 nouveaux oeufs, anéantissant ainsi tous vos efforts. Des mesures draconniennes s'imposent parce que la cochenille farineuse figure parmi les 5 ou 6 parasites les plus communs et les plus nuisibles, d'autant plus qu'elle est très difficile à exterminer. Des pulvérisations d'insecticides d'ingestion comme *Isotox* ou le *Systemic*, une fois par semaine pendant trois semaines devraient arriver à vous débarrasser à la fois des insectes et de leurs oeufs. Les fougères ne peuvent être pulvérisées mais des applications de granules d'insecticides d'ingestion sur leur sol débarrasseront éventuellement les fougères des cochenilles farineuses. Cependant, vous devrez éliminer une à une les cochenilles adultes pour les empêcher d'endommager la plante en attendant que les granules fassent effet. Si ce travail vous semble trop fastidueux ou s'il s'agit d'une très grosse fougère ou encore de plusieurs fougères, pulvérisez-les avec une solution de sulfate de nicotine mais utilisez quand même les granules d'insecticide d'ingestion.

Les plantes affectées. Les palmiers, les cactus et autres plantes grasses, les coleus, les fougères, le gardenia, les dracaena, le dieffenbachia, le cissus, le citrus, les lierres, les avocado, le crassula, le lantana, les laurier-roses, le schefflera, les violettes africaines et autres géraniacées, le ficus, l'aglaoména, l'hibiscus, le dizygothéca, le hoya, le pittosporum, le podocarpus et les fines herbes.

Les mille-pattes sont des vers à corps dur, multi-sege- **Mille-**
mentés, à plusieurs pattes: ce sont d'excellents nageurs, **pattes et**
très rapides. À l'intérieur, ils pénètrent dans les sols **centipèdes**
organiques riches et se nourrissent des racines, tubercules,
bulbes, graines et tiges charnues. Sous la lumière forte, ils
se cachent sous les pots et les soucoupes. Si certaines parties des jeunes plants et des tiges sont mâchonnées, cela
peut être un indice de la présence de ces insectes mais vous
les apercevrez probablement avant qu'il n'y ait trop de
dégâts.

Les centipèdes vivent surtout dans le sol où ils coupent et tailladent le réseau de racines à un point tel que la
pousse supérieure dépérit et meurt. Le véritable centipède,
insecte assez gros et commun dans les montagnes
Rocheuses n'est pas un insecte de jardin; l'insecte dont
nous parlons ici est en fait un symphyla, familièrement
désigné sous le nom de centipède parce qu'il lui ressemble.
Au début de leur vie les symphylas sont de petits vers
blancs qui sortent des oeufs éclos dans le sol. Comme les
adultes, ils ont douze paires de pattes qui les amènent

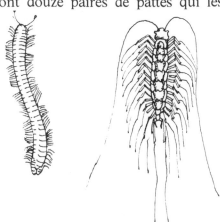

rapidement au réseau de racines où ils se nourrissent de
radicelles, des nouvelles racines et des tiges souterraines.

Les remèdes. Vous apercevrez facilement les mille-
pattes si vous les cherchez à la lumière faible; détruisez-les.
Pour les symphylas vous devrez rempoter la plante dans

Ma plante est malade

un sol stérile après voir lavé les racines (voir page 39 et 40) et avoir coupé celles qui étaient endommagées. On peut vaporiser sur les insectes un insecticide comme le Malathion ou un aérosol tout usage pour les plantes d'appartement. Arrosez le sol d'une solution de Malathion. Veillez à la propreté de l'endroit où poussent vos plantes parce que la végétation en décomposition attirent les mille-pattes et les centipèdes.

Les plantes affectées. Comme ces insectes ont une préférence pour les sols riches, toute plante ornementale ou plante à fleurs qui pousse dans un sol contenant de larges quantités d'humus ou de sphaigne risque de les attirer. Les camélias, les philodendrons et autres aracées y sont particulièrement sujets.

Mites ou araignées rouges

Les mites sont des insectes tellement répandus dans nos jardins que la fréquence des infestations de mites est probablement aussi forte à elle seule que celle de toutes les autres infestations mises ensembles. Communément appelée araignée rouge ou mite araignée, la mite n'est pas un véritable insecte mais plutôt un acarien de la famille des

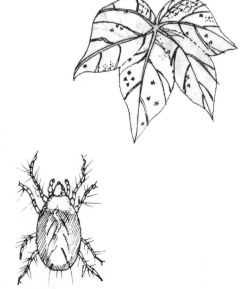

Arachnides qui comprend aussi les araignées, les scorpions et les tiques du chien. Plusieurs espèces ont une prolifération débridée dans l'ambiance chaude et sèche de la plupart de nos maisons mais les températures fraîches et humides favorisent la reproduction de deux autres espèces dont les habitudes alimentaires sont tout aussi dévastatrices que celle des autres mites et comme elles, elles s'attaquent à un grand nombre de plantes.

Le tétranyque à deux points est l'espèce qu'on désigne généralement sous le nom d'araignée rouge; elle se nourrit sur presque toutes les plantes d'appartement, les roses et les lierres y étant particulièrement sujets. Avant de tomber, les feuilles deviennent grises, jaunes, ou parsemées de fines toiles farineuses. Comme les mites sont presques microscopiques, leurs toiles sont le premier signe visible d'infestation. S'il s'agit de votre première expérience des mites, secouez le feuillage de la plante affectée sur une feuille de papier blanc. Si les fines membranes sont bien des toiles de mites et non des toiles d'araignées, vous pourrez apercevoir de minuscules créatures se promener sur le papier. De petites particules blanches sur la face interne des feuilles peuvent aussi indiquer la présence de mites; ces particules sont de petits morceaux de peau desquamée.

Les jeunes mites comme les adultes sucent la sève, perforent les feuilles et provoquent des petites taches pâles, sur le feuillage qui se décolore et rouille. Si on n'y rémédie pas, l'infestation de mites peut provoquer la défoliation complète de la plante et la faire mourir.

Les mites du cyclamen ont des habitudes différentes de celles des autres mites et elles ont la réputation d'être les parasites des plantes les plus répandus et les plus difficiles à exterminer. Ce sont des parasites microscopiques et voraces. Si l'infestation survient au printemps, elle empêchera la floraison. Si elle se produit à la fin de l'été elle occasionnera une floraison déformée et tachée, des tiges et des feuilles rabougries, tordues ou fanées; la chute des boutons de fleurs et un feuillage strié et pourpre. Ces mites causent aussi la chlorose (voir page 50) et des plaies qui favorisent la propagation de maladies bactériennes ou fongueuses.

Comme elles préfèrent les températures fraîches et relativement humides, il est ennuyeux de constater que si on corrige les conditions de croissance pour éliminer les autres mites, on risque d'établir des conditions favorables à la prolifération de ces espèces particulières.

Les remèdes. Vaporisez les plantes de très près avec de l'eau froide pour déloger les mites et briser leurs membranes protectrices. Comme ces parasites sont les plus difficiles de tous à exterminer et qu'il est pratiquement impossible de les déceler avant qu'ils n'aient déjà causé des dégâts, les plantes nouvellement acquises devraient être isolées jusqu'à ce que vous soyez certains qu'elles ne présentent pas de symptômes d'une invasion de mites. Lorsque vous détectez des mites sur une plante, ne touchez pas aux plantes saines après l'avoir manipulée sans vous être d'abord lavé les mains. Les mites se propagent même par le plus léger frôlement.

Une huile minérale blanche, pulvérisée hebdomadairement, avec une insistance particulière sur l'envers des feuilles et sur leurs axes constitue une mesure préventive efficace. Les huiles minérales blanches ou les pulvérisateurs aérosols à base de roténone et de pyrettre sont relativement sûrs pour le jardin et son raisonnablement efficaces contre les mites. D'autres produits, comme le Dimite, conçus spécialement pour exterminer les mites, peuvent aussi convenir mais les insecticides les plus efficaces sont les insecticides d'ingestion, comme l'*Isotox* et le *Systemic*. Des applications hebdomadaires pendant 3 semaines devraient venir à bout de l'infestation la plus avancée. Insistez particulièrement sur la face interne des feuilles et sur leurs axes.

Si vous possédez beaucoup de roses et de lierres, vous devrez peut-être faire des applications régulières de granules d'Istox et de Systemic sur la surface des sols; cette mesure préventive vous permettra d'exercer un contrôle réel des invasions de mites.

Les plantes affectées. Les palmiers, les fuchias, les poinsettias, les citrus, les philodendrons, les araucarias, les aspidistras, les marantas, les dracaenas, les plantes araignées, les aucubas, les violettes africaines et autres gesneriades, les cyclamens, les cissus, les géraniums, les plantes annuelles, les fines herbes, les ficus, les aralias, les smilax et les podocarpus. Les lierres et les roses sont les plus vulnérables. De façon générale, les mites se nourrissent sur les feuilles minces dont la texture ressemble à du papier plutôt que sur les plantes herbacées ou les plantes grasses.

Les nématodes sont tellement nombreux et destructifs qu'une branche complète de la botanique, la nématologie, a été consacrée à leur étude. Ces créatures microscopiques en forme de vers vivent et se nourrissent dans le réseau de racines. Ils provoquent des nodosités et des galles sur les racines et réduisent éventuellement le réseau de racines à quelques moignons tordus.

Nématodes

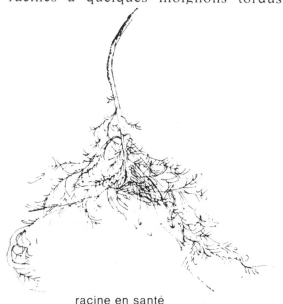

racine en santé

Malheureusement, il est impossible de voir les nématodes ou leurs dégâts tant qu'ils n'ont pas atteint une phase avancée, au point où la pousse supérieure devient faible, maladive ou rabougrie. Ces dégâts sont aggravés par le fait que les plaies des racines favorisent la pénétration de la pourriture des racines, de champignons microscopiques et de bactéries.

Les remèdes. Si vous empotez vos plantes dans un sol stérile, vous n'aurez probablement jamais de problèmes avec ces parasites. Si vous ne l'avez pas fait et que vos plantes sont atteintes, le sol, les pots, les outils et même les plantes devront être stérilisés. Ce parasite très contagieux peut être propagé par le simple contact des doigts qui frôlent un pot contaminé puis manipulent un sol sain.

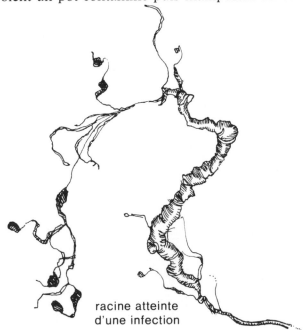

racine atteinte
d'une infection

Les plantes dont les racines sont gravement détériorées et dont la pousse supérieure est déjà affaiblie doivent être détruites. Si certaines parties de la pousse supérieure sont encore en bon état, vous pouvez en faire des boutures mais empotez-les dans un milieu stérile. Un insecticide comme le *Malathion* est efficace dans le cas d'infestations mineures mais vous devez suivre les indications du fabricant pour en faire usage sur des plantes spécifiques. Les sols des plantes qui sont particulièrement sujettes aux infestations de nématodes devraient subir un traitement préventif semi-annuel de *Malathion*.

Les plantes affectées. Les crassulas, les géraniums, les hoyas, le columnéa, les violettes africaines et autres géraniacées, le gardénia, le citrus, le ficus décoratif, le podocarpus et les palmiers. Si le problème persiste, procurez-vous des plantes traitées contre les nématodes.

Limaces et escargots (ou colimaçons)

Les limaces sont de petits escargots gris non-comestibles et sans coquilles qui sortent en général la nuit; ils laissent dans leur sillage de minces trainées luisantes sur les surfaces planes. Les escargots sont les mollusques bien connus qui vivent dans leurs coquilles. Les unes et les autres mâchonnent les jeunes pousses tendres et se cachent dans le gravier humide et sur les parois des pots pendant la journée. Les feuillages mangés par des limaces et des colimaçons sont gravement déchiquetés.

Les remèdes. Inspectez vos plantes avant de les apporter dans la maison et détruisez les limaces et les colimaçons qui pourraient s'y trouver. Gardez propre et sec l'endroit ou poussent vos plantes. Si vous trouvez malgré

Ma plante est malade

tout plusieurs de ces parasites dans votre maison, une soucoupe emplie de bière plate (que vous laissez sortie pour la nuit) attirera les escargots et les limaces grises. Ils y plongeront pour y goûter et s'y noieront. Entourer les plantes de sable, de chaux, de cendres ou de minuscules tessons constitue une bonne mesure de dissuasion contre limaces et colimaçons qui détestent circuler sur tout ce qui irrite ou égratigne leurs corps mous.

Les solutions commerciales à base de métaldéhyde ou les appâts à limaces sont très efficaces mais ne doivent pas être utilisés quand il y a des animaux domestiques ou des enfants à proximité.

Les plantes affectées. Les plantes herbacées, les cactus et autres plantes grasses et les plantes charnues.

Cloportes   Les cloportes sont de petites créatures grises qui sont en fait des crustacés terriens (les crabes et les homards sont deux exemples de crustacés marins). Les jeunes cloportes se nourrissent avec voracité de matières organiques en décomposition, de tiges et de racines tendres et de jeunes plants. On les voit généralement s'agglomérer autour des collets des plantes ou sur le dessus des pots.

Les remèdes. Si vous n'en voyez que quelques-uns, saisissez-les et détruisez-les. Si l'infestation est grave, vaporisez du *Malathion* sur la surface du sol. Les appâts empoisonnés et les poisons à fourmis et à cafards peuvent être utilisés sur la surface du sol, mais n'en mouillez pas le feuillage et n'utilisez pas d'appâts empoisonnés si des enfants ou des animaux domestiques peuvent les atteindre.

Les plantes affectées. Les cactus et autres plantes grasses, les feuilles tendres et charnues, les jeunes plants et les plantes annuelles herbacées.

Kermès ou cochenilles de serre

Il existe une vingtaine d'espèces de kermès qui endommagent les tissus en suçant leur sève et en sécrétant une miellure grisâtre qui attire les fourmis, empêche la photosynthèse et favorise le développement des maladies fongueuses (voir page 88). Les kermès se présentent sur les feuilles et les branches comme de petites rondelles immobiles qui peuvent être délogées par le bout de l'ongle ou extirpées avec des petites pinces. Les kermès mous n'ont

pas de carapaces et comme ils conservent leurs pattes de larves, ils peuvent se déplacer. Mais ils bougent tellement lentement qu'ils semblent immobiles. Toutes les espèces piquent les feuilles et les tiges avec un espèce de petit dard et aspirent la sève des plantes. Les feuilles deviennent alors tachetées de jaune ou jaunissent entièrement et finalement, tombent.

Les remèdes. Extirper un à un les kermès peut sembler fastidieux mais c'est une technique efficace si vous travaillez soigneusement et si l'infestation est mineure. Comme les fougères ne peuvent être pulvérisées, c'est la seule solution pour remédier à un début d'infestation mais il ne faut pas confondre les kermès avec les spores des fougères. Les spores se trouvent sur les folioles; les kermès se fixent généralement sur la nervure centrale des frondes (feuilles) de la fougère. Des granules d'insecticide d'ingestion appliquées sur le sol des fougères préviendront efficacement les invasions de kermès.

Dans le cas d'infestation mineure, les autres plantes peuvent être vaporisées avec des huiles minérales blanches, mais ne les utilisez pas sur les cactus. Le *Malathion* est probablement le traitement le plus efficace pour les infestations graves. Appliquez les insecticides à ingestion et le *Malathion* toutes les semaines pendant trois semaines.

Les plantes affectées. Les azalées, les cactus, les camélias, les myrtes, les crossandras, les palmiers, les ficus, les aralias, les bromeliacées, les citrus, le lys, l'hibiscus, les fougères, les euonymus, les gardenias, le grenadier, les oléandres (laurier-rose), l'ardisia, les pittospurum, l'aspidistra, l'avocado, le smilax, le ligustrum, les jasmins, le cerisier de Jérusalem, le schefflera, le podocarpus et le zamia.

Ces petites créatures sauteuses n'ont pas d'ailes et se propulsent à l'aide de leurs appendices en forme de queues. Des petits trous ronds sur les plantes à feuilles minces, les jeunes plants et les racines nourricières trahissent la présence des podures qui autrement peuvent passer inaperçus parce qu'ils se cachent dans le sol humide. Toutefois, un arrosage abondant peut les amener à la surface du sol où ils vous apparaîtront comme de petits points de couleur vives. Les infestations de podures sont souvent

Podures ou collembolles

provoquées par des arrosages trop abondants (voir pages 43 à 46).

Les remèdes. Si le problème persiste, corrigez vos habitudes d'arrosage et essayez de garder vos plantes relativement sèches. Elles doivent aussi être exemptes de toute végétation humide ou en décomposition. Immerger les pots dans de grands récipients d'eau, où délogera les insectes qui monte à la surface du sol ou qui s'échappe par les trous de drainage; vous pourrez alors les attraper et les détruire. Si vous désirez une solution plus radicale, arrosez le sol de *Malathion* et vaporisez un aérosol à fourmis et à cafards sur les insectes visibles sans toutefois mouiller le feuillage.

Ma plante est malade

Les plantes affectées. Les jeunes plants et les plantes qui aiment l'humidité.

Thrips   Les thrips sont de petits insectes, à peine plus gros qu'une tête d'épingle qui ressemblent à des puces et dont la langue rapeuse et pointue écorche et laisse des cicatrices sur les feuilles lisses; la surface de la feuille devient alors fanée et criblée de taches comme dans le cas des infestations de mites. Cependant, alors qu'on détecte les mites par leurs fines toiles, les thrips déposent de petites traces d'excréments bruns et des particules de peau sur les feuilles. Les bouts des nouvelles feuilles s'enroulent étroitement et les boutons de fleurs tombent ou sont déformés et décolorés avant même d'éclore.

Les remèdes. Les infestations mineures peuvent être traitées par des vaporisations d'eau tiède, d'eau savonneuse ou d'huiles minérales blanches. Dans le cas d'infestations graves, des pulvérisation de *Malathion,* particulièrement sur l'envers des feuilles, pendant plusieurs semaines consécutives résoudront le problème.

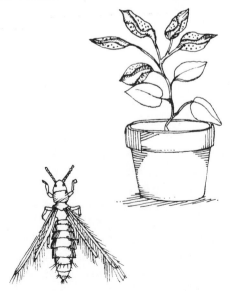

Les plantes affectées. Toutes les plantes à fleurs ornementales particulièrement les roses, les cinéraires, les bégonias, les gloxinias, les chrysanthèmes, le fuchia, les azalées et les cyclamens; l'aralia, la ficus nitida, la myrte, l'avocat, le cerisier de Jérusalem, les fougères ornementales et les citrus.

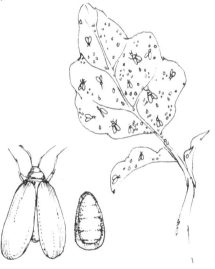

Mouches blanches

Si vous secouez un feuillage et que des flocons de neige semblent s'en détacher, votre plante a des mouches blanches. On voit toujours les mouches blanches adultes en compagnie de leurs nymphes vert-pâle qui ressemblent à des graines de sésame fixées sur la face interne des feuilles. Adultes et nymphes sucent la sève des plantes ce qui fait jaunir le feuillage ou le crible de petites taches et éventuellement, le fait mourir. Les mouches blanches sont très tenaces et il est difficile de s'en débarrasser parce qu'elles échappent souvent aux pulvérisations d'insecticides en s'envolant. Vous pouvez être sûr qu'il y en aura une ou deux qui arriveront à s'évader discrètement et à rejoindre une autre plante.

Les remèdes. Les fines herbes, les tomates et les autres plantes comestibles peuvent être immergées dans des baquets d'eau savonneuse, ce qui devrait venir à bout des infestations mineures. Le *Malathion* peut probablement être pulvérisé sur les plantes comestibles sans danger puisqu'il laisse très peu de résidus.

Pour les autres plantes, les insecticides d'ingestion comme *"Isotox* ou *la Systemic"* sont les plus efficaces. Leur usage sous forme liquide ou granulaire, une fois par semaine pendant trois semaines, rendra les plantes toxiques pour ces insectes pendant plusieurs semaines. Toute la colonie de mouches blanches sera donc exterminée y compris celles qui réussiront à échapper au contact direct de l'insecticide.

Pour obtenir un résultat immédiat, enfermez la plante dans un sac de plastique ou une boîte de carton et vaporisez un insecticide avec un vaporisateur tout usage ou aérosol. Ne vaporisez pas trop près du feuillage.

Si le problème est tenace vous pouvez appliquer des granules à ingestion sur le sol, toutes les 6 semaines environ, comme mesure préventive.

Les plantes affectées. Les fines herbes, les tomates, le citrus, le grenadier, l'helxine, le smilax, les azalées, les fougères, les calcéolaires (bourse du pape), les chrysanthèmes, les cineraires, les coleus, le géranium, l'hibiscus, le cerisier de Jérusalem, le browallia, le "pick a back", le caféier et les plantes annuelles. Les lantanas et les fuchsia n'échappent presque jamais aux mouches blanches; les applications d'insecticides d'ingestion sont donc fortement conseillées comme mesure préventive pour ces plantes.

Dans certains cas, de mauvaises conditions de croissance favorisent le développement d'organismes parasitiques qui causent des maladies bactériennes ou fongueuses aux plantes. Les fongus des plantes sont des excroissances spongieuses qui se développent sur les tissus végétaux et qui s'apparentent à la moisissure du pain, aux champignons et à la pénicilline. Ils se reproduisent à partir de spores microscopiques qui germent dans des conditions d'humidité excessive. Les bactéries sont de minuscules organismes unicellulaires qui ne vivent et ne se reproduisent que sur les tissus organiques, morts ou vivants. Les insectes, l'eau, les outils et les mains sales propagent les bactéries. Certaines bactéries ont un rôle de catalyseur des processus naturels et sont utiles, mais d'autres sont des parasites qui se nourrissent de tissus végétaux ou animaux vivants et provoquent la dégénérescence de ces tissus.

Les températures très élevées ou très basses, les arrosages excessifs, le manque de lumière, les fertilisations excessives, les plaies ouvertes, la pollution de l'air et l'humidité excessive rendent les plantes extrêmement vulnérables aux invasions fongueuses et bactériennes.

L'anthracnose, une maladie fongueuse, est caractérisée par des feuilles affaissées et parsemées de taches. Le milieu de ces taches est sec, couleur de tan ou noir et leur pourtour très foncé. L'anthracnose se développe en général à cause d'une humidité excessive mais peut aussi être provoquée par un coup de gel.

La maladie de l'anthracnose

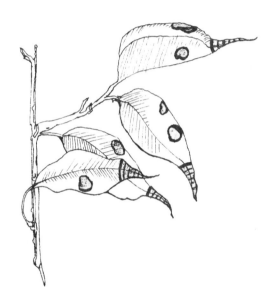

Les remèdes. Détruisez les feuilles malades et suspendez les vaporisations jusqu'à ce que la maladie soit complètement enrayée. Les plantes affectées souffrent d'humidité excessive. Gardez vos plantes en état de sécheresse relative au moins jusqu'à leur guérison et aérez l'endroit où elles poussent. Vous pouvez également pulvériser des fongicides (comme *Maneb, Ferbam, Zineb* ou encore de la bouillie bondelaise.) sur les feuilles saines pour prévenir la propagation de la maladie.

Les plantes affectées. L'aglaoména, le kalanchoe, le citrus, le ficus, l'oléandre et le palmier.

La pourriture grise ou pourriture du collet et de la tige

Les plantes atteintes par cette maladie fongueuse voient leurs tiges et leur collet devenir flasques et humides. Les arrosages excessifs, l'humidité et les températures trop élevées sont les causes de ce pourrissement qui s'étend rapidement à tous les tissus de la plante.

Les remèdes. Coupez et détruisez les régions affectées. Appliquez des poudres fongicides comme le *Captan, Zineb,* ou *Ferbam* sur les plaies.

Les plantes affectées. Les philodendrons, les violettes africaines, gloxinias et autres géraniacées, les dieffenbachias, l'aglaoména, les bégonias, les géraniums, les cactus et autres plantes grasses.

Le pied noir est une maladie fongueuse que se manifeste au niveau du sol et affecte surtout les jeunes plants. Le champignon s'attaque à la base de la tige qui dépérit; les feuilles s'enroulent sur elles-mêmes et semblent avoir été pincées. En moins d'un jour, le jeune plant se fane et meurt.

La maladie du pied noir

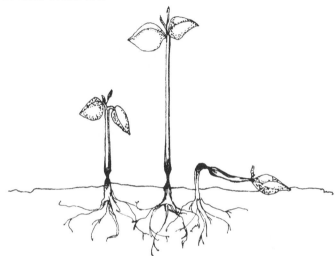

Les remèdes. On doit toujours utiliser un sol stérile pour les jeunes plants afin de prévenir le développement des maladies fongueuses. Dès le premier signe de dépérissement, réduisez la température, l'humidité et les arrosages. Appliquez une poudre fongicide comme le *Captan.*

Les plantes affectées. Tous les jeunes plants, particulièrement ceux des plantes herbacées (à texture molle).

Les taches de rouille peuvent apparaître très rapidement, suite à des avaries physiques ou à de graves problèmes de culture et d'environnement. Bordées de jaune, elles sont brun-foncé ou noires et humides au centre. Ces taches sont causées par des invasions bactériennes ou fongueuses. Trop d'humidité, les arrosages excessifs, les coups de gel, le manque de lumière, et d'aération en sont

Maladie de la rouille

les principales causes. Si l'infestation est grave, la plante peut perdre toutes ses feuilles.

Les remèdes. Augmentez la lumière et la chaleur, aérez l'endroit où pousse la plante et laissez sécher son sol avant d'arroser de nouveau. Détruisez toutes les feuilles atteintes. Vaporisez un fongicide, comme le *Maneb* sur les feuilles encore saines. Pour un contrôle à long terme utilisez un fongicide d'ingestion, par exemple le *Benlate*.

Les plantes affectées. Les géraniums, les violettes africaines, gloxias et autres géraniacées, les cactus, les dracaenas, le ligustrum et les roses.

La fumagine et le mildiou

Les moisissures noires et collantes, semblables à une couche de laque sur les feuilles sont généralement associées à la miellure sécrétée par les pucerons par les cochenilles farineuses et surtout par les kermès. Ces moisissures se développent dans une ambiance très humide mais elles ne sont pas causées par des parasites. Toutefois, tout ce qui recouvre les feuilles, même la poussière, empêche le passage de la lumière, facteur essentiel à la croissance des plantes. Évidemment les insectes doivent aussi être exterminés pour bien d'autres raisons.

La moisissure grise, semblable à la moisissure du pain, qui apparaît sur la surface du sol est généralement causée par un excès d'eau dans le sol ou par un usage excessif d'engrais organiques. La moisissure du sol survient fréquemment dans les pots de plastique parce que ces pots ne sont pas poreux, ce qui diminue le temps d'assèchement. La moisissure, en plus d'être inesthétique, réduira elle aussi le temps d'assèchement, ce qui pourrait entraîner d'autres problèmes causés par l'excès d'eau dans le sol. Toutes ces moisissures sont désignées sous le nom de fumagine.

Le mildiou est une maladie cryptogamique (causée par un champignon parasite) qui se manifeste par l'apparition d'une couche blanche ou grisâtre sur le

feuillage. En plus de bloquer le passage de la lumière, ces champignons portent les feuilles à s'enrouler et à se ratatiner. La plupart du temps, le développement de cette maladie est lié à une humidité excessive et, de façon générale, à tous les facteurs qui gardent le feuillage constamment humide. À l'extérieur, une longue période de temps humide peut mildiouser les plantes. À l'intérieur les plantes de terrarium mal aérées sont aussi très sujettes au mildiou.

Les remèdes. Une bonne aération constitue une mesure préventive et un traitement efficace contre toutes les maladies fongueuses. Le feuillage doit être débarrassé des moisissures noires et collantes, soit par de l'eau savonneuse, des huiles d'été ou par un traitement spécifique dans le cas des infestations de pucerons ou de kermès.

Les moisissures du sol doivent être enlevées délicatement et on doit alors réduire les arrosages surtout pour les

pots de plastique. Si le problème semble tenace, arrosez le sol d'une solution diluée de *Captan*.

Il faut abaisser le niveau d'humidité pour enrayer le mildiou. Les feuilles atteintes doivent être retirées et détruites. Si le problème est grave, il faudra faire des applications de fongicides à ingestion pour en venir à bout.

Les plantes affectées. Les plantes sujettes aux pucerons et aux kermès et particulièrement les plantes herbacées, les roses, les ficus, les plantes qui poussent dans des pots de plastique ou dans une ambiance humide.

Pourriture de la racine

Certains champignons s'attaquent aux racines des plantes et en réduisent la capacité d'absortion de l'eau. Lorsque cela se produit, l'excroissance supérieure manifeste les symptômes d'une insuffisance d'eau: la croissance des nouvelles pousses est entravée, la plante se fane et finalement meurt. Comme elle présente les signes d'une insuffisance d'eau, vous serez portés à l'arroser plus souvent et en plus grande quantité. Malheureusement, ce procédé ne fera qu'aggraver le problème.

Les remèdes. Sortez les plantes affectées de leurs pots, passez-les sous le robinet pour débarrasser leurs racines de tout le sol qui y adhère et rempotez-les dans un sol frais et stérile. Arrosez-les plantes juste assez souvent pour les empêcher de faner tant qu'elles n'ont pas repris une croissance normale. Il est essentiel d'arroser le sol d'un fongicide, le *Captan* par exemple. Si les racines d'une plante sont complètement pourries, vous pouvez conserver des boutures mais à condition de les empoter dans un sol stérile.

Les plantes affectées. Les violettes africaines, gloxinias et autres gesnériades, les aloès, les cactus, kalanchoe et autres plantes grasses, les bégonias et les palmiers.

Plusieurs mesures peuvent vous aider à prévenir les problèmes d'environnement, de culture ou de parasites ou, si ces problèmes existent déjà, à en limiter les dégâts.

Les conditions d'environnement des plantes doivent ressembler le plus possible à celles de leur habitat naturel, pour leur assurer une croissance vigoureuse et saine et leur permettre de résister aux maladies et infestations. Avant d'acquérir de nouvelles plantes, tâchez de savoir quel est l'éclairage qu'elles préfèrent ou auquel elles peuvent s'adapter, la température du jour et de la nuit qui leur convient le mieux et le niveau d'humidité qui leur est nécessaire. S'il vous est impossible d'obtenir toutes ces informations, essayez au moins d'identifier leur lieu d'origine; la connaissance du climat et de la topologie de leur habitat naturel vous aidera à déterminer leurs exigences particulières.

Les habitudes de culture, mélanges de sols, arrosages et fertilisations, doivent également être adaptées à chaque plante pour permettre leur plein épanouissement et augmenter leur résistance aux maladies et aux insectes. Par exemple, un philodendron dans un pot de plastique de 15 cm de diamètre doit être arrosé moins souvent qu'un philodendron dans un pot d'argile de la même taille parce que le sol des pots de plastique s'assèche beaucoup moins vite que celui des pots d'argile. De même, un mélange de sol qui convient parfaitement à un dracaena adulte peut être trop riche et trop lourd pour un dracaena nouvellement bouturé dont le réseau de racine est encore peu développé. La fréquence des fertilisations change avec les saisons, mais deux plantes similaires peuvent exiger des pratiques de fertilisation différentes à un moment donné si l'une d'entre elles a une croissance plus rapide. Lisez bien les étiquettes des engrais pour connaître leurs méthodes d'application.

Le vieux sol peut être réutilisé, mêlé à un sol frais, à condition qu'il soit d'abord stérélisé. Retirez-en les cailloux et autres débris, étalez-le dans des moules à gâteaux ou des assiettes à tartes (d'environ 6 cm d'épaisseur) et mettez-le au four à 90°C pendant 3 heures. Laissez-le reposer plusieurs jours en le remuant de temps en temps avant de vous en servir.

Stérilisez ou nettoyez soigneusement le sol pris dans le jardin ou dans la forêt, les cailloux de la plage, les roches, bref tout ce que vous entrez de l'extérieur et qui n'a pas été acheté sous forme d'emballages pré-stérilisés, parce que ces matériaux sont susceptibles de contenir des germes de maladies ou des oeufs d'insectes. Si, au mois de décembre, des criquets se promènent un peu partout dans votre maison, il est fort probable qu'ils viennent de ce morceau de bois ou de mousse que vous avez ramené imprudemment à la maison; les insectes d'été s'y cachent souvent pour hiberner et y pondre leurs oeufs. Normalement ces insectes ou ces oeufs resteraient en hibernation jusqu'au printemps, mais dans une maison chauffée, leur cycle sera considérablement accéléré.

L'hygiène est une mesure préventive très importante. Veillez à ce que les pots et leurs alentours, les plantes, les outils et accessoires de jardinage soient toujours exempts de feuilles mortes, de poussière et de végétaux en décomposition. Beaucoup d'insectes et plusieurs types de bactéries et de champignons vivent dans des tissus végétaux en décomposition; ils s'attaqueront ensuite à vos plantes.

Nettoyez à l'eau chaude et savonneuse les pots, paniers et jardinières et désinfectez-les avec de l'eau de javel (1/4 de tasse (7 cl) d'eau de javel pour un litre d'eau) avant de vous en servir pour de nouvelles plantes, surtout s'ils contenaient des plantes malades.

Bassinez vos plantes une ou deux fois par semaine à l'eau tiède pour débarasser leur feuillage des particules de poussière et de suie, des oeufs d'insectes ou d'insectes adultes passés inaperçus. Insistez sur les axes des feuilles et leurs faces internes, là où la plupart des insectes ou de leurs oeufs ont tendance à s'installer. Les plantes à feuilles larges peuvent être bassinées avec une éponge. L'usage d'une huile minérale blanche douce, peut augmenter l'efficacité de cette mesure préventive. Une cuiellerée à thé dans une pinte d'eau suffira pour lustrer vos plantes et pour décourager en même temps les infestations d'insectes.

Les nouvelles plantes prennent parfois quelque temps à s'adapter à un nouvel environnement mais s'il s'agit de plantes saines et qu'on leur procure tout ce dont elles ont besoin, elles se rétabliront en moins d'une semaine. Que la plante vienne d'un jardinier amateur ou d'une boutique, inspectez-la soigneusement pour y déceler les symptômes de maladies ou de présence de parasites avant de l'amener chez vous. Isolez-la des autres plantes jusqu'à ce que vous soyez certains qu'elle n'abrite aucun parasite.

Les plantes qui ont séjourné à l'extérieur ou les plantes annuelles que vous rentrez pour la floraison d'hiver doivent subir la même inspection soigneuse et, s'il y a lieu, doivent être traitées *avant* de pénétrer dans la maison. Sortez les plantes de leurs pots et examinez de près leur réseau de racines, sans toutefois en retirer le sol, pour détecter les insectes du sol et des racines. (Si vos plantes ont poussé avec entrain comme elles le devraient après avoir passé l'été dehors, vous devrez de toutes façons les sortir de leurs pots pour les empoter.)

Lavez vos mains, vos gants de jardinage et tous les outils qui ont été en contact avec des plantes infestées, surtout si vous touchez ensuite aux plantes saines. Si vous manipulez les plantes d'un ami, lavez-vous les mains avant de toucher les vôtres. Les parasites sont souvent si petits qu'on peut ne pas les voir sur nos propres mains. Un jardinier peut propager sans le savoir des oeufs d'insectes ou des maladies à des plantes saines, si ses mains ou ses outils sont contaminés.

Les vaporisations préventives de produits chimiques non-spécifiques ne sont généralement pas à conseiller. Les vaporisations de produits chimiques doivent être utilisées comme traitements spécifiques contre les parasites et le remède doit être choisi en fonction du type de parasite à exterminer. Si certaines solutions non-chimiques s'avèrent efficaces contre un parasite quelconque, elles sont toujours préférables aux solutions chimiques. Seul les cas d'infestations à répétitions de parasites particulièrement tenaces font exception à cette règle: vous devrez alors avoir recours à des solutions chimiques comme méthodes préventives. Les gens qui font la culture des lierres et des roses doivent y recourir s'ils veulent contrôler un tant soit peu les infestations de mites qui menacent continuellement leurs plantes.

Différents types de remèdes   Certaines solutions très efficaces dans les jardins extérieurs ne peuvent s'appliquer à l'intérieur. Les conditions intérieures ne reproduisent pas d'elle-même "l'équilibre de la nature" pour la bonne raison que l'intérieur, ce n'est pas la nature. Les solutions naturelles - par exemple, lorsque la température, la topographie et les insectes prédateurs font échec aux parasites des plantes - n'existent évidemment pas à l'intérieur. Les solutions biologiques, qui consistent à utiliser des insectes bienfaisants ou d'autres prédateurs contre les parasites des plantes, ne peuvent pas non plus être utilisées. Il n'y aura jamais assez de parasites végétaux pour nourrir une colonie d'insectes bienfaisants à l'intérieur et s'il y en avait assez, la plante serait déjà trop endommagée pour valoir la peine d'être sauvée. Par ailleurs, les jardiniers d'intérieurs disposent de trois autres types de solutions: la sélection, les procédés non-chimiques et l'usage de produits chimiques.

La sélection

La sélection implique que le jardinier soumette toute nouvelle plante à un examen circonspect, avant qu'elle ne pénètre dans la maison. Cette inspection lui permettra de s'assurer que la nouvelle plante est saine, robuste et qu'elle ne présente aucun symptôme de maladie ou d'infestation. (Voyez aussi les mesures préventives concernant les nouvelles plantes.) Certaines personnes aiment soigner et guérir les plantes malades que les boutiques de plantes ou leurs amis sont sur le point de jeter. Cette pratique ne comporte aucun risque s'il vous est possible d'isoler complètement les plantes malades. Si cette quarantaine vous est impossible ou difficile, vous courez alors le risque de contaminer *toutes* vos plantes.

Les remèdes non-chimiques

Minimisez les dégâts causés par les maladies ou les insectes en réagissant dès l'apparition des premiers symptômes et en appliquant sans délais un traitement spécifique au problème que vous diagnostiquez. Un examen attentif de vos plantes (lorsque vous les arrosez par exemple) vous révèlera toute modification anormale de leur apparence ou de leurs habitudes de croissance.

Détruisez tous les insectes qui rôdent autour de vos plantes. Vous remarquerez probablement leur présence autour des pots et des soucoupes ou sur la surface du sol avant qu'ils n'aient eu le temps de pondre leurs oeufs ou d'attaquer le feuillage.

Éliminez les insectes qui se cachent dans le sol. Retirez la plante de son pot, faites tomber doucement le sol qui adhère aux racines et lavez les racines à l'eau tiède. Rempotez la plante dans un sol frais et stérilisé et dans un pot propre. Ne laissez pas les racines se dessécher; si vous ne rempotez pas immédiatement, enfermez.

Délogez les insectes des feuillages en les vaporisant énergiquement avec de l'eau claire ou savonneuse 1 ou 2 fois par jour (utilisez du vrai savon et non du détergent). Si les feuilles sont très fragiles, vous serez peut-être obligé de recourir à une fine vaporisation d'insecticide chimique, pour ne pas les briser. Par contre si les feuilles sont résistantes et que l'infestation est mineure, les vaporisations à l'eau claire ou savonneuse devraient suffire à régler le problème. N'oubliez pas d'enlever et de détruire toutes les feuilles mortes ou endommagées.

Jetez les plantes très endommagées. Lorsqu'une plante est gravement atteinte par une maladie ou une infestation, elle ne vaut plus la peine d'être sauvée. Le pourrissement de la pousse supérieure et ou des racines favorisera le développement d'autres parasites. Si certaines parties de la plante sont restées intactes, vous pouvez en faire des boutures après les avoir vaporisées pour détruire les oeufs qui pourraient s'y trouver.

Aménagez un ''hôpital'' pour vos plantes c'est-à-dire une pièce ou un rebord de fenêtre où vous les garderez jusqu'à ce qu'elles soient guéries. C'est une excellente façon d'isoler les plantes malades pour éviter la contagion. On n'insistera jamais assez sur le fait que les insectes et les maladies se propagent très rapidement d'une plante à toutes les autres et que ce qui semble n'être qu'un problème mineur, localisé à une plante, peut entraîner la mort de toutes vos plantes.

Les remèdes chimiques

Il existe plusieurs types de solutions chimiques: les poisons de contact non-spécifiques, les poisons stomacaux, les appâts de poison, les fumigènes, les poisons d'ingestion et les solutions d'arrosage. Les insecticides et les fongicides de contact non-spécifiques sont des mélanges conçus pour tuer, immédiatement ou peu de temps après avoir été vaporisés, une grande variété d'insectes ou de parasites. Les poisons stomacaux sont des produits chimiques qu'on applique sur le feuillage et qui empoisonnent l'insecte qui suce ou mâchonne les feuilles. Les appâts de poison sont de petits morceaux de nourriture imbibés de substances toxiques qui attirent les insectes et les empoisonnent lorsqu'ils mangent l'appât. Les fumigènes sont des produits chimiques qui tuent les parasites qui respirent leurs émanations. Les solutions d'arrosage sont des pesticides liquides que l'on verse dans le sol; certaines sont fumigènes et d'autres sont des poisons de contact. Les insecticides et fongicides d'ingestion sont des produits chimiques absorbés par les feuilles ou par les racines et répartis à toute la plante par la circulation de la sève. La plante elle-même devient toxique pour les insectes ou les parasites et, comme l'action des poisons d'ingestion dure des semaines ou même des mois, la plante bénéficie d'une protection à long terme. Certains produits particulièrement efficaces sont des synthèses de plusieurs insecticides ou fongicides chimiques. Le recours aux solutions chimiques contre les insectes et les maladies des plantes est, à l'heure actuelle, un sujet très controversé et le sera encore dans les années qui viennent. Plusieurs substances toxiques ont été retirées du marché et sans aucun doute, d'autres le seront encore. Malheureusement les produits chimiques sont les traitements les plus efficaces contre certains parasites particulièrement tenaces et contre les infestations graves de tous les insectes.

Il y a certaines précautions à prendre lorsqu'on fait usage de ces produits chimiques et personne ne niera que la vie et la santé du jardinier sont beaucoup plus importantes que celles des plantes et des insectes.

Suivez à la lettre les indications des manufacturiers en ce qui concerne les concentrations, les dosages (qui dépendent parfois de la grandeur du pot), les dates d'expirations au delà desquelles les produits peuvent devenir dangereux (tant pour les plantes que pour le jardinier), les distances de vaporisations et la fréquence des traitements. Une solution trop forte peut tuer la plante en même temps que les parasites et être toxique pour le jardinier. Par contre une solution trop faible est inefficace et ne sera qu'un gaspillage.

Évitez d'inhaler les solutions que vous vaporisez. Ne les laissez pas entrer en contact avec votre visage, votre peau ou vos vêtements. Encore une fois, observez les indications du fabriquant pour assurer votre sécurité. Lavez soigneusement la peau et les vêtements éclaboussés par inadvertance. Éloignez les enfants, les animaux domestiques et les aquariums lorsque vous faites des vaporisations de produits chimiques. Travaillez dehors ou dans une pièce bien aérée.

Ne portez jamais à votre bouche et ne soufflez jamais dans les tubes ou les siphons qui contiennent des produits toxiques.

Les restes des solutions que vous avez préparées vous-même se conservent mal. Préparez chaque fois que la quantité exacte dont vous avez besoin et jetez les restes. Conservez les contenants de ces produits hors de portée des enfants et des animaux domestiques, comme s'il s'agissait de médicaments. Assurez-vous qu'ils sont clairement identifiés, bien fermés et à l'abri de la lumière forte.

Les produits chimiques

Les pesticides suivants ont prouvé leur efficacité et, s'ils sont utilisés conformément à nos indications et à celles manufacturiers, ils sont inoffensifs. Si les produits ou marques de commerce mentionnés ici ne sont pas disponibles là où vous habitez, demandez le produit qui leur ressemble le plus. Sachez que certains pesticides ne doivent pas être utilisés sur les plantes comestibles comme la laitue, les tomates et les fines herbes.

Les poudres à bulbes sont des insecticides et des fongicides en poudre qui détruisent un grand nombre d'insectes et de germes de maladies. Ils doivent être saupoudrés sur les bulbes avant l'entreposage ou la plantation.

Les insecticides de synthèse qui agissent comme poisons de contact non-spécifiques, comme poisons stomacaux ou comme poisons d'ingestion, incluant l'*Isotox* ou le *Systemic.*

Isotox est un composé de cararyle (un insecticide de contact aussi vendu sous le nom de Sevin), de Oxydemetonmethyle (un poison d'ingestion vendu sous le nom de *Meta-Systox)* de kelthane et de distillats de pétrole. *Systemic* est un composé de methoxychlore (un insecticide de contact, vendu sous le nom de *Marlate),* de kelthane, de methyl demeton et de distillats de pétrole. *Isotox* et *Systemic* sont tous les deux des concentrés liquides qui peuvent être utilisés en vaporisations ou en solutions d'arrosage. Les produits d'ingestion sont toxiques s'ils sont avalés ou mis en contact avec la peau. Par ailleurs, ils sont souvent très efficaces contre les mites, les kermès et les cochenilles farineuses dont on n'arrive pas à se débarasser autrement. Ils ne doivent pas être utilisés sur les plantes comestibles. Certaines plantes sont sensibles aux insecticides de contact. Les fougères, les lantaniers, la verveine et certains géraniacées ne supportent pas les distillats de pétrole contenus dans la plupart des solutions. Les solutions de sulfate de nicotine ou de pesticides à ingestion appliquées au sol seront peut-être mieux tolérées par ces plantes mais faites d'abord un essai sur une feuille ou deux pour voir comment la plante y réagit.

Les fongicides sont des poisons de contact conçus pour éliminer plusieurs variétés de parasites, ou dans certains cas pour prévenir ou atténuer les symptômes d'infestation. Les marques suivantes sont efficaces et disponibles en concentrés liquides ou en poudres solubles qu'on peut saupoudrer ou diluer avec de l'eau: *Maneb, Ferbam, Zineb,* Bouillie bordelaise, *Captan* (orthocide), le soufre, le bénomyle (fongicide d'ingestion vendu sous le nom de *Benlate).*

Le Malathion est un insecticide organique de contact, non-spécifique, à base de phosphate. Il n'est pas toxique pour les humains et les animaux (sauf en très grandes quantités) et par conséquent c'est un des rares pesticides acceptés en ce moment par les écologistes. Utilisé en vaporisation ou en solution d'arrosage, il est très efficace contre plusieurs variétés de parasites qui infestent les feuillages, le sol, les meubles et même les animaux. Il est vendu en solution à 50 % de Malathion ou de *Cythion,* un produit plus récent qui a la réputation d'être encore moins dangereux. Certaines plantes, particulièrement les fougères, ne tolèrent pas le *Malathion.*

Le métaldehyde est l'ingrédient de base d'une série de produits *(Slug Killer, Slug-It, Slug and Snail Bait)* qui servent à attirer limaces et colimaçons qui meurent en ingérant l'appât. Certaines marques contiennent de l'arséniate de calcium et ne doivent pas être appliquées aux plantes.

Les miticides englobent une variété d'insecticides de contact en vaporisateurs ou en solutions d'arrosages, spécialement conçus pour détruire les mites et leurs oeufs. Leurs formules varient d'une marque à l'autre, il faut donc se conformer aux instructions des manufacturiers en ce qui concerne les précautions à prendre et l'usage sur des plantes comestibles. Le *Omite* est particulièrement efficace pour détruire les oeufs de toutes les mites et on peut s'en servir même pour les géraniacées et autres plantes qui tolèrent mal les autres insecticides. Cependant il ne doit pas être appliqué sur les plantes comestibles. *L'Ovex,* vendu sous le nom de *Ovotran* et le tétradifon, vendu sous le nom de *Tédion,* sont des miticides efficaces et qui sont très peu toxiques pour les humains, les animaux et les plantes.

Les nématodicides sont des poisons de contact ou des fumigènes utilisés en solutions d'arrosage pour éliminer les insectes du sol comme les nématodes et les vers de terre. Un de ces produits, vendu aux USA sous le nom de *V-C-13 Nématodicide,* un nématodicide au phosphate, poison de contact et miticide) est un composé de chlordane, un hydrocarbone organique qui détruit pratiquement tout ce qui bouge. Cependant, la chlordane vendue sous ce nom étant extrêmement toxique, le *Malathion* est une solution plus sûre et peut être vaporisé autour des pots et des soucoupes pour exterminer plusieurs insectes, entre autres, les fourmis et les cloportes. Faites d'abord un essai sur une feuille parce que certaines plantes sont sensibles à divers nématodicides. Un autre produit, le *Nemagon* , vendu aussi sous le nom de *Fumazone* est un nématodicide fumigène qui peut être appliqué sur presque toutes les plantes.

Le sulfate de nicotine, un extrait de tabac, est un vieux traitement, efficace contre plusieurs types de parasites. Fréquemment vendu en solution à 40 % sous le nom de *Black Leaf 40.*

Il est généralement considéré comme un pesticide organique (lisez "sûr") mais en fait, il s'agit d'une substance extrêmement toxique si elle est inhalée ou ingurgitée, ou si elle entre en contact avec la peau. Par ailleurs, il a très peu d'effets résiduels sur les plantes comestibles et est très efficace contre les parasites des plantes dont les tissus seraient endommagés par d'autres insecticides. Le dosage habituel est d'une cuillerée à thé de *Black Leaf 40* avec 28 grammes de savon en flocons pour environ 5 litres d'eau. Cette solution peut être vaporisée ou servir à arroser le sol.

La pyrèthre un extrait de boutons de fleurs sèchés du Chrysanthénum cinéraria folium, et la roténone, un dérivé des plantes derris ou lonchocarpus, des insecticides de contact et stomacaux, sont les principaux ingrédients actifs de plusieurs insecticides aérosols tout-usage que l'on trouve dans nos maisons. Quoiqu'elles ne soient pas aussi efficaces que l'*Isotox* et le *Malathion*, ces deux substances sont très peu toxiques pour les humains et les animaux. Toutefois, les aquariums doivent être éloignés ou recouverts pendant la vaporisation. La roténone est désignée par son nom sur les listes d'ingrédients, mais le pyréthre peut parfois être désignée sous le nom de ses principes actifs, pyrethrine I et II ou cinerine I et II. Les deux types d'aérosols peuvent contenir d'autres produits comme le butoxyde de pypéronyle mais sont aussi disponibles à l'état pur (*Tri-Excell Ds*, par exemple). Essayez de ne pas inhalez pendant que vous vaporisez ces aérosols parce qu'ils ont tendance à irriter les poumons et la gorge.

Les vaporisateurs à fourmis et à cafards, dont plusieurs marques sont vendues en aérosol, peuvent s'avérer efficaces contre d'autres insectes, comme les criquets et les podures. Toutefois, la plupart de ces aérosols contiennent des substances comme le naled (*Dibrom* et la *Lindane*) qui sont extrêmement toxiques tant pour les humains et les animaux que pour les tissus des plantes. Vaporisez-les seulement sur la surface des sols (recouvrez la plante d'un sac de plastique) et suivez les directives du fabriquant.

Les vaporisateurs huiles d'été, produits à base de pétrole, sont des huiles miscibles et émulsives qui se mêlent à l'eau, sont sans danger pour le jardinier et sont des insecticides efficaces contre les insectes, les kermès et les mites. Les huiles minérales blanches sont inoffensives sauf si elles sont avalées et peuvent être vaporisées hebdomadairement sur les feuillages, comme prévention contre les mites, mais on ne doit jamais utiliser d'huile d'été sur les cactus et les fougères.

Les pesticides d'ingestion sont aussi disponibles sous forme de granules dont on parsème la surface du sol. Ces produits contiennent de petites quantités de *Di-Syston* et sont vendus sous le nom de *Isotox* et *Systemic* comme leur forme liquide. Les pesticides d'ingestion rendent toute la plante toxique, et par conséquent, ils ne peuvent être utilisés sur des plantes comestibles. Ce sont, par ailleurs, d'excellentes méthodes préventives à long terme contre les kermès, les mites, et les cochenilles farineuses surtout pour les fougères, lanterniers et autres plantes qui ne tolèrent pas les insecticides de contact.

Il existe plusieurs méthodes faciles, rapides, pratiques et qui n'exigent qu'un minimum d'équipement pour appliquer des pesticides à l'intérieur. Vous aurez besoin d'un vaporisateur portatif de type atomiseur à jet intermittent avec un bouchon amovible, de cuillères à mesurer, d'une tasse à mesurer, d'un pot de verre d'un litre, d'un arrosoir, de sacs en plastique de différents formats et d'assiettes à tartes ou de moules à gâteaux peu profonds. *Tout cet équipement ne doit servir qu'à cet usage.*

Les méthodes d'application des pesticides

Les vaporisations sont des solutions diluées de pesticides concentrés qui sont vaporisées. Ajustez le vaporisateur de façon à ce que la vaporisation soit très fine pour que le pesticide pénètre bien les tissus des feuilles et que l'application soit uniforme. Ne faites jamais de vaporisations dans une pièce sans aération ou par temps humide et chaud parce que les produits chimiques risquent alors de brûler les feuilles et de détériorer la plante. Les instructions des fabriquants précisent les distances de vaporisation; en général, il faut se placer à 15 ou 30 cm de la plante. Vaporisez dans un endroit bien aéré et loin de votre visage. Travaillez soigneusement et veillez à bien atteindre l'envers et les axes des feuilles où beaucoup d'insectes se cachent.

Les vaporisateurs aérosols sont préparés d'avance. Il faut absolument respecter à la lettre les recommandations du fabriquant en ce qui concerne les distances de vaporisation. Sinon le jet extrêmement fin des aérosols peut facilement geler le feuillage ou irriter vos poumons. Tenez-vous en aux indications sur l'étiquette spécifiant à quelles plantes convient cet aérosol. Si vous avez des doutes, faites un essai sur quelques feuilles.

Une excellente technique consiste à recouvrir la plante d'un sac de plastique et à vaporiser par le trou du sac. Nouez ensuite l'ouverture, et laissez la plante enfermée pendant quelques heures.

L'immersion est parfois conseillée comme méthode d'application pour atteindre toutes les parties de la plante.

Il s'agit de plonger la plante la tête la première dans un baquet suffisamment grand, empli de solution pesticide. Le sol doit être couvert d'une mince feuille d'aluminium pour l'empêcher de tomber quand vous renversez la plante. De toute évidence, cette méthode est inutilisable dans le cas des grosses plantes mais elle peut être pratique pour les petites plantes, surtout celles qui sont très feuillues et qui sont difficiles à vaporiser uniformément.

Les solutions d'arrosage sont en général des concentrés en poudre solubles que l'on dilue dans l'eau et que l'on verse sur le sol. Servez-vous d'un pot propre pour mêler la solution et versez-là ensuite dans votre arrosoir. Arrosez les plantes en pots par le dessus et traitez les plantes sans pots en les déposant sur une assiette à tarte et en les arrosant avec la solution.

Les granules des pesticides à ingestion doivent être déposés dans le sol à 4 ou 5 cm de la surface comme les engrais granulaires (faites attention de ne pas déranger les radicelles). Arrosez la plante immédiatement après; les arrosages répétés dissoudront les granules dans le sol. Le pesticide sera alors absorbé par les racines.

TABLE